Anne Berest

Recherche femme parfaite

Gallimard

Anne Berest est née à Paris en 1979. Après une décennie dans le monde du théâtre, elle publie son premier roman à l'âge de trente ans, *La fille de son père*, puis *Les patriarches* et *Sagan 1954*. Elle est aussi coauteur du best-seller *How to be parisian wherever you are*, publié à ce jour en vingt-huit langues.

à Tessa

« On dirait qu'il s'est passé quelque chose d'étrange ici. »

Femmes au bord de la crise de nerfs,
Pedro Almodóvar.

Julie

Julie Margani ne comprenait pas pourquoi elle ne tombait pas enceinte. Pourtant elle avait prévu la date de conception afin d'accoucher à la fin des grandes vacances pour reprendre le travail en janvier, au moment où son entreprise aurait cruellement besoin d'elle. Mais son corps s'obstinait à lui désobéir et les règles revenaient mois après mois. Julie n'avait pas l'habitude que l'ordre du monde ne s'accorde pas à ses désirs, petit à petit, elle vit des signes d'anxiété se manifester en elle – des crises de panique dans le métro, la peur d'avaler certains aliments. Et surtout, l'angoisse du désordre.

Quand Julie est apparue dans la cage de mon escalier, j'ai tout de suite reconnu sur son doux visage les traits de l'enfant qu'elle avait été autrefois. Ma nouvelle voisine avait appartenu à la lignée des petites filles modèles, celles qui n'oublient jamais leurs affaires de piscine, dont les barrettes ne glissent pas le long de leurs cheveux toujours bien coiffés et qui ne se rasent pas les cuisses avec le Bic paternel. J'ai toujours aimé fréquenter ces êtres gracieux, évoluant dans un monde ordonné pour elles. Évidemment, je n'ai jamais essayé de ressembler à ces fillettes idéales – certains combats sont perdus d'avance – mais je devins leur amie, leur préférée, leur petite protégée. Et je pris rapidement goût à cette vie de favorite, car je fus invitée à leurs goûters d'anniversaires, où je récupérais les doubles de leurs collections de papier à lettres, de gommes fantaisie et d'autocollants hologrammes. Dans les cours de récréation, elles me prêtèrent leurs fabuleuses poupées-poneys qui sentaient bon le plastique à la fraise. J'aimais surtout la douceur de leurs lits où nous dormions tête-bêche, là, dans leurs pyjamas repassés, elles me confièrent leurs secrets, me faisant ainsi participer à la cosmogonie de leur merveilleuse enfance. Jamais leur fréquentation n'atténua mon amour pour elles, bien au contraire, les petites filles modèles sont des êtres adorables, à l'amitié inébranlable. Des années plus tard, je continuais d'admirer infiniment une femme comme ma voisine Julie qui, à quarante ans, dirige une entreprise spécialisée dans la fidélisation à long terme des clients pour un groupe de renommée mondiale, une femme assez habile pour confectionner des gâteaux en forme de hamburgers, une femme capable, après avoir présidé une réunion, d'enfiler une jupe crayon pour rejoindre son mari à l'opéra et pleurer en écoutant *Madame Butterfly*.

J'aime la regarder vivre et partager son quotidien, sincèrement, je l'admire. Moi je n'aime pas les responsabilités, ni faire la cuisine, je refuse de prendre la parole devant les autres et je peux me rendre à un premier rendez-vous sans aucun amour-propre. Inutile de préciser que notre amitié repose en partie sur nos différences. Julie me fait profiter de son organisation de vie impeccable – moi, en échange, je la fais rire. Sans doute est-il banal de constater que ces antagonismes puisent leurs racines profondes dans nos enfances, mais c'est ainsi. Le père et la mère de Julie étaient orthophonistes, ils partagèrent toute leur vie un cabinet réputé dans Paris. Mes parents exercèrent aussi le même métier, ils étaient tous les deux humoristes. Mais malheureusement ils ne devinrent jamais célèbres.

Mon père et ma mère formèrent un duo pendant presque vingt ans, entre 1981 et 1998, se produisant sur toutes les scènes de France. Avoir des parents comiques n'est pas une expérience particulièrement drôle, surtout quand on est fille unique. Julie, elle, eut la chance de grandir avec trois frères, ce qui offre de grands avantages dans la vie d'une femme. La première fois que je vis un sexe d'homme fut le jour où je perdis ma virginité, tandis que les femmes qui ont eu la chance de fréquenter le sexe opposé depuis leur tendre enfance ne sont pas prises au dépourvu, elles connaissent les hommes. En revanche, je savais par cœur la carte de France des théâtres de poche, des cabarets, des salles municipales, des bistrots guinguettes, et je suis incollable sur les départements.

Toute son enfance, Julie dormit dans la même chambre, dans le même lit, au deuxième étage d'un immeuble haussmannien. Tous les dimanches soir pendant dix-huit ans, elle dîna avec sa famille d'un buffet froid dans la cuisine, selon le rituel dit «du buffet froid». Moi au contraire, mon enfance fut trimbalée comme une valise, de pièces enfumées en loges de fortune. Et lorsque je dis «comme une valise» il faut l'entendre littéralement, car mes parents avaient mis au point un sketch intitulé *La Valise*.

Ma mère entrait en scène avec une grosse valise, en courant vers les spectateurs pour attraper un train imaginaire, tandis que mon père arrivait des coulisses sans se presser. Tranquillement. Sifflotant. Les mains dans les poches. À ce moment-là, mes parents se chamaillaient et pendant cette dispute, deux petites jambes sortaient de la valise, comme par magie, celle-ci se soulevait du sol pour aller se poser toute seule vers un endroit plus calme. Ne voyant plus leur valise, mes parents pensaient qu'on la leur avait volée. Énervements, gifles, hurlements. Effrayée par ce pugilat, la valise s'enfuyait dans les coulisses, devenant aussi vivante que dans un *cartoon*. Cette chose qui prenait ses jambes à son cou provoquait la stupéfaction de la salle, suivie d'un grand éclat de rire. Les gens applaudissaient avec ce sentiment de joie qu'éprouve un public qui se dresse, d'un seul bond d'un seul, frappant dans ses mains avec enthousiasme. Mon cœur battait la chamade – car on l'aura deviné, c'était moi à l'intérieur de la valise, la petite Émilienne. Je fus contorsionniste pour mes parents de mes dix-huit mois à mes quatre ans. Mais un jour, irrémédiablement, mes bras et mes jambes poussèrent vers les quatre coins cardinaux. Le temps d'un été je n'entrai plus dans la valise et mes fesses prirent soudainement une importance considérable dans ma vie. Très vite, mes parents essayèrent d'avoir un autre bébé, mais malheureusement sans succès et, des années plus tard, quand je fus mère à mon tour, ils me proposèrent d'engager mon enfant, rêvant déjà de revêtir leurs vieux costumes de lumière. Mais je fus catégorique, mon fils ne deviendrait pas un accessoire de scène. Il faut dire que j'avais conservé une certaine claustrophobie de ces années de gloire éphémère – ainsi qu'une grande souplesse. Julie aussi est très souple, mais elle, ce fut grâce à ses années de danse classique, ayant rompu son corps de liane aux exercices de jambes à la barre. Je l'imagine, jolie petite fille en tutu rose surmonté d'un chignon tiré à quatre épingles, faisant son spectacle de danse devant des rangées de caméscopes à cassettes VHS. Pendant que Julie cousait son costume de fin d'année, moi je tractais dans la rue, distribuant sur les épaules de mes parents des publicités pour le « off » du festival d'Avignon.

Vingt-cinq ans plus tard, nous devenions voisines.

Au bout de quelques saisons, la bonne nouvelle arriva, Julie était enfin tombée enceinte. Sa grossesse fut exemplaire. D'une main, elle badigeonnait ses seins avec de la crème raffermissante, de l'autre, elle feuilletait toute la littérature prénatale, si bien qu'elle acquit, mois après mois, un savoir-faire de puéricultrice et ce fut une mère professionnelle qui partit à la maternité, sa valise en Liberty assortie à son vernis à ongles rose pâle. Le samedi suivant, je la vis revenir avec son bébé dans un berceau en osier, aussi fraîche et souriante que si elle rentrait du marché avec la plus belle pièce du boucher. Julie reprit son travail avant la fin de son congé maternité, et une activité sexuelle avec son mari dès qu'elle eut fini son stage de rééducation accélérée du périnée.

J'admirais Julie. Sans rire. C'était insensé tout ce qu'elle était capable de faire en une seule journée. Avec gentillesse et l'air de ne pas faire d'efforts. Sans se plaindre. Et le sourire aux lèvres s'il vous plaît !

Je sais de quoi je parle, je suis photographe, mon métier consiste à faire sourire les gens – ce qui n'est pas si facile. Pendant des années, j'ai photographié des classes entières, de la crèche à la terminale, principalement dans les zones d'éducation prioritaires des départements de

Seine-et-Marne et de la Marne. Le problème du scolaire, c'est qu'il faut être bien vu des directeurs d'établissement en participant aux événements, il faut aussi envoyer des cartes de vœux pour que les gens pensent à vous l'année suivante. Je dirais que la « gestion des relations avec le client », selon l'expression de Julie, n'est pas ma principale qualité dans le travail, c'est pourquoi elle m'a inscrite dans une agence qui s'occupe de faire les intermédiaires. L'agence propose mes services à des entreprises qui souhaitent photographier leurs salariés sur leur lieu de travail lors de séminaire, de cocktail, de soirées caritatives ou de rencontres sportives. Puis l'agence imprime les portraits des employés, souriants, heureux de travailler, fiers de leur entreprise, sur des mugs, des T-shirts, ou des aimants qui prendront la poussière sur des réfrigérateurs. Aujourd'hui je travaille essentiellement avec eux, ce qui m'évite aussi toute la paperasse administrative, et puis j'ai dû arrêter les mariages, pourtant un secteur très lucratif, sans doute le plus rentable de notre métier. Mais surtout une source infinie de problèmes. Je n'ai jamais rencontré de jeunes mariés contents de leur album de mariage, ils finissent toujours déçus, car après avoir fantasmé des souvenirs féeriques du plus beau jour de leur vie, ils sont confrontés à la réalité des images, à la laideur de leurs décorations champêtres, de leurs buffets garnis et de leurs salles des fêtes. Les femmes découvrent qu'elles ont l'air de kouglofs dans leur robe blanche frou-froutée et les hommes se rendent compte du ridicule de leur costume rose layette. Mais que voulez-vous que j'y fasse ? Ensuite ils passent un temps infini à vous faire des reproches en vous expliquant que tout est votre faute, puis radinent sur la facture parce que vous avez oublié de photographier la famille venue d'Australie et qu'il faut aussi détruire le négatif où papi a les mains baladeuses. Mais le véritable problème, c'est que, à force d'accepter une coupe de champagne par-ci et une dernière liqueur par-là, je terminais souvent dans le lit d'un invité. Or le métier de photographe de mariage repose beaucoup sur le bouche à oreille, il faut savoir soigner sa réputation, ce qui n'est pas non plus ma qualité principale.

Voilà pour les travaux alimentaires. Mais j'essaye aussi de percer en tant qu'artiste, sous un autre nom évidemment. Sur ma fiche Wikipédia on peut lire : « *Émilienne Cramaut, connue sous le pseudonyme d'Émilienne Valse, est née à Limoges le 14 septembre 1984. C'est une artiste des arts visuels et photographe française.* » J'ai choisi le pseudonyme « Valse » parce que j'aime bien les noms de famille construits à partir de verbes. Très tôt dans ma vie j'ai compris l'importance des noms de famille, au début des années quatre-vingt-dix lorsque je me suis retrouvée dans la même classe que Carole Courre. J'avais sept ans, mes parents s'étaient sédentarisés à Bourg-la-Reine dans la banlieue sud de Paris, car ils avaient décidé de « tenter leur chance à la capitale », en jouant un soir par semaine au Don Camilo, un cabaret dîner-spectacle rue des Saints-Pères – tous les mardis si mes souvenirs sont bons.

Ils m'inscrivirent à l'école élémentaire Olympe-de-Gouges située à quelques pas de la gare du RER B, ce qui fut un bouleversement pour moi, parce que jusque-là mes parents m'avaient fait la classe eux-mêmes, et non seulement ils n'étaient pas des flèches, mais moi je rêvais d'un cartable, d'une trousse flambant neuve et surtout d'un cahier de textes à spirale avec des intercalaires de toutes les couleurs. Je me souviens du bruit que faisaient les chaises qui raclaient le sol au moment où la cloche sonnait, celui des pages tournées, des chuchotements d'enfants et des mines de stylos à encre glissant sur les cahiers. Dans ce vacarme, j'étais la petite fille la plus heureuse de l'école.

Carole Courre était la première de notre classe et sa beauté exerçait sur moi une attraction presque amoureuse. Au moment de l'appel, juste avant mon nom « Émilienne Cramaut », j'entendais « Carole Courre ». À mon oreille, cette surprenante allitération sonnait comme une injonction. Tout se passait comme si la maîtresse l'encourageait : « Cours, Carole, cours ! » Son nom voulait dire quelque chose, il prenait de la vitesse, il caracolait dans le vent, il s'envolait dans les airs, tandis que nous, les autres élèves de la classe, pauvres pékins, notre nom de famille n'avait aucun sens, du moins aucun intérêt – comme « Émilienne Cramaut » ou « Dimitri Leroux », qui n'incite pas à agir, ni à faire quoi que ce soit d'extraordinaire de sa vie d'ailleurs, sauf à se teindre les cheveux. Et puis, c'est idiot à dire, mais Carole Courre courait très vite, comme si son nom l'avait prédestinée à se tenir loin devant les autres. J'ai donc choisi un pseudonyme construit à partir du verbe « valser », espérant ainsi que ce nom influerait telle une planète sur la direction que prendrait ma vie de photographe. À vingt ans, je voulais que chaque jour de mon existence soit une danse et ma vie devait tracer un parcours sauvage au milieu de corvées mondaines.

Certes, pour le moment, rien de tout cela n'est encore arrivé. « Pour le moment » dirons-nous prudemment, car dans ma longue vie parallèle avec le succès, il n'est pas dit que nous ne nous rencontrerons jamais – même les lignes droites finissent par se rejoindre à l'horizon. Donc, contrairement à ce que mentionne ma fiche Wikipédia, je ne suis pas connue, d'ailleurs il y a fort à parier que vous n'avez jamais entendu parler de moi. J'ai pourtant la conviction que certaines de mes photographies me survivront – je serai peut-être connue après ma mort –, mais pour le moment, je l'affirme avec fierté tout autant qu'humilité, je me sens « un sac-poubelle ».

« Être un sac-poubelle » est une expression que j'ai inventée en regardant *Der Lauf der Dinge*, réalisé en 1987 par deux Suisses, Peter Fischli et David Weiss. Ce film expérimental montre des objets se percutant les uns après les autres, telles ces gigantesques chutes de dominos organisées dans des pays de l'Est, où de jeunes bénévoles installent durant plusieurs mois des kilomètres de dominos dans l'unique but de battre un record mondial. Dans la vidéo de Fischli et Weiss, il ne s'agit pas de dominos, mais d'un ramassis d'objets divers, liés à l'univers du garage et du bricolage, mis en mouvement par le feu, l'eau ou la loi de la pesanteur.

Tout débute avec un sac-poubelle qui pousse un pneu.

Un sac-poubelle heurte un pneu immobile, sur lequel est scotchée une bouteille d'eau. Cette collision entraîne le mouvement du pneu et l'écoulement de l'eau à l'extérieur de la bouteille qui se déverse dans un gobelet en plastique scotché à un deuxième pneu, celui-ci se met alors à rouler doucement, puis accélère, entraîné par le poids de l'eau, ensuite il répand le contenu de sa propre bouteille d'eau dans le gobelet d'un troisième pneu en caoutchouc noir – c'est un pneu plus petit, donc plus leste que les deux premiers, qui roule rapidement jusqu'à percuter vigoureusement un quatrième pneu, très gros, entraîné par l'effet de sa masse, il réussit à grimper sur une échelle en bois qui se trouve sur son chemin, dont les barreaux entravent légèrement la course, mais le quatrième pneu parvient quand même à les gravir péniblement les uns après les autres, au moment où il commence à perdre sérieusement de la vitesse, il percute un cinquième pneu, ce choc lui donne de la force, si bien qu'il franchit plus facilement les barreaux de l'échelle, un à un, jusqu'à cogner un sixième pneu posé sur une autre échelle, ce pneu avance à son tour avec difficulté, il parvient tout de même à parcourir l'échelle pour atteindre une planche en bois où il heurte un petit rouleau de carton d'un diamètre de dix centimètres environ, ce rouleau léger, d'une couleur claire, presque désinvolte par rapport aux patauds pneus, roule quasiment au hasard, jusqu'à dégringoler, et dans sa chute, il cogne une latte en bois qui bascule de droite à gauche, entraînant ainsi deux autres petites lattes en bois. Etc.

Il s'agit là de la première minute du film, qui en compte trente.

La première fois que j'ai vu ce film, je ne pouvais plus respirer. J'avais *vraiment* peur. Il suffit d'un rien pour que le petit cylindre glisse deux millimètres trop à droite, donc n'entre plus en collision avec la plaque de verre et arrête le mouvement… de cette tension jaillit un suspense quasi insupportable, tout mon être était tendu, comme si une seconde d'inattention de ma part pouvait enrayer le bon déroulement du processus, de même qu'au théâtre, je retiens ma respiration jusqu'à ce que l'actrice, tombée dans un trou de mémoire, retrouve le fil de son texte. Plus que tous les livres écrits dans le monde, plus que tous les films réalisés, plus que tous les ouvrages philosophiques, le film *Der Lauf der Dinge* ouvrait selon moi une théorie de l'existence – du moins de la mienne – car « être le sac-poubelle » exprime l'idée qu'un petit mouvement peut être à l'origine d'un grand bouleversement. Ensemble, une série d'événements faussement aléatoires réussissent à accomplir leur destin, le plus difficile étant de donner la première impulsion. C'est selon ce principe que j'ai réalisé ma plus belle photographie, celle dont je suis la plus fière : ce jour-là, j'avais demandé à Julie de poser devant les placards de sa chambre à coucher. Je voulais que ses piles de vêtements composent la toile de fond de l'image, ses étagères soigneusement rangées, avec des habits pliés comme dans un grand magasin et ordonnés par dégradés de couleur. Devant ce décor, Julie se tenait debout avec son bébé dans les bras. L'enfant ouvrait la bouche sur son sein émergeant d'une chemise d'un blanc immaculé. C'était comme ça que je me représentais Julie, en véritable madone contemporaine. Pendant que je faisais la mise au point et le réglage des lumières, le sein de Julie eut un jet de lait et une auréole grise se dessina sur sa chemise parfaitement repassée. Quand Julie s'en rendit compte, elle écarquilla les yeux et fit une grimace en éloignant le bébé loin d'elle. Le résultat est une photographie surprenante où l'on voit une mère regarder son bébé avec stupéfaction comme si elle était effrayée par lui. On ne sait pas si elle va se mettre à hurler, si elle va le lâcher ou au contraire exploser de rire. Voilà mon travail tel que je l'entends. Je ne fais pas partie des photographes qui cherchent à construire des images nouvelles. Je ne cherche pas non plus à bouleverser le spectateur, ni à faire naître en lui des émotions fortes. Je ne suis pas non plus du côté de la photographie documentaire, je ne prétends pas témoigner du monde qui m'entoure. Je cherche à saisir un état d'attente, un entre-deux, créer une forme de suspense.

Ce fameux après-midi, après que Julie eut changé de chemise, nous sommes allées discuter dans la cuisine. Tandis qu'elle préparait à la main une purée de légumes anciens, je lui expliquai qu'à l'âge de son bébé, mon fils Sylvain ne mangeait que des Flanby – la seule nourriture qu'il acceptait d'ingurgiter. Soudain j'eus soif. Julie était concentrée sur sa purée. J'ouvris son réfrigérateur – un réfrigérateur qui sentait toujours bon le citron et le propre. Est-ce l'épisode de la chemise qui m'avait donné envie de boire du lait? Parce qu'une belle bouteille en verre, toute blanche, me fit soudain de l'œil. Je l'empoignai pour la boire et étancher ma soif. « Non ! » me cria Julie alors que j'avais déjà vidé la moitié de la bouteille à grandes lampées.

« C'est *mon* lait », précisa-t-elle, désolée.

« Je le donne à l'hôpital pour aider les mamans en difficulté d'allaitement », ajouta-t-elle pour m'achever.

Et je vomis l'intégralité de mon estomac sur la porte du réfrigérateur, devant le regard inquiet de son bébé. Qui m'imita. Tout cela pour dire que dans mon esprit, Julie faisait partie de ces femmes comblées par les joies de la maternité, ces véritables cornes d'abondance à qui l'on confierait nos propres enfants pour qu'ils jouissent d'une éducation parfaite, avant de graver leurs visages de jolies mamans sur des médailles avec l'inscription : *la patrie reconnaissante.*

Mais le lendemain soir, Julie sonna à ma porte, son bébé dans les bras, en me demandant si je voulais bien le garder pour la nuit. « Il ne veut plus se réveiller car il est trop fatigué », ajouta-t-elle en salivant beaucoup. Elle portait un grand T-shirt sale, baragouinait des phrases inaudibles, son regard flottait vaguement sur les choses, comme des algues au bord d'une lagune. J'avais l'habitude qu'elle me confie son enfant, une heure de temps en temps, mais jamais au beau milieu de la nuit, comme ça, sans prévenir.

Déchargée de son paquet, elle me tourna le dos pour repartir dans son appartement, je pus alors constater qu'elle n'avait pas mis de culotte. C'était mauvais signe. Parce que la dernière personne que j'avais vue se trimbaler chez moi les fesses à l'air, c'était mon arrière-grand-mère, au début de son Alzheimer. D'ailleurs son mari sonna à ma porte quelques minutes plus tard avec des couches et me confirma le problème. Julie, bafouilla-t-il, était un peu malade depuis quelques jours, elle avait besoin de dormir. Thierry accompagnait donc sa femme chez ses parents pour qu'elle y passe la nuit et ils reviendraient chercher leur enfant dès que possible. Mais le lendemain, c'est à Sainte-Anne que je suis allée rendre visite à mon amie. Le médecin de famille avait diagnostiqué un « épuisement maternel aigu » avant de demander son transfert à l'hôpital.

— Ce mal touche des femmes très diplômées, très accomplies professionnellement, qui cherchent à reproduire dans la sphère familiale des enjeux de perfection qu'elles connaissent dans leur sphère professionnelle, avait dit le médecin.

Ces femmes, expliqua-t-il, sont en proie à des psychodrames personnels souvent dissimulés et transforment leur désespoir en énergie vitale. Elles ont un enthousiasme débordant, très impressionnant pour l'entourage, elles arborent l'étendard d'une maternité comblée, elles se

sentent les figures de proue d'une féminité sur-
puissante. Puis un jour, elles s'effondrent. Tout
bonnement.

Julie en effet ne pouvait plus rien faire. Plus
parler. Plus se lever. Plus bouger. Elle était
comme éteinte. Les psychiatres avaient imposé
plusieurs semaines de repos, loin de son enfant,
loin de tout ce qui pouvait évoquer le monde
de la petite enfance, ce dérangeant monde de
bébé qu'elle associait désormais à ses cauchemars. Ce jour-là, en lui rendant visite à l'hôpital,
je me rendis compte que ma voisine était devenue au fil des années ma confidente la plus
proche, Julie avait pris une place dans ma vie,
bien plus importante que je ne le pensais. Sa
tranquille présence de l'autre côté du couloir,
sa bonne humeur toujours égale, son parfum à
la rose dans les escaliers, tout cela était devenu,
sans que je m'en aperçoive, essentiel à mon quotidien.

L'entrée de l'hôpital Sainte-Anne se fait par
une porte bleue, sous un portail monumental,
surmonté d'un fronton triangulaire. Lorsqu'on
la traverse, quelque chose vous dit que la porte
peut se refermer sur vous à jamais. Je mis du
temps à trouver la chambre de Julie, qui m'attendait, son visage gonflé d'eau et luisant. Elle pleurait beaucoup, elle expliquait qu'elle s'en voulait,
qu'elle n'y arrivait pas, qu'elle ne serait jamais
comme les autres femmes.

— Mais de quelles femmes parles-tu ? lui demandai-je.

— Les autres ! hurla-t-elle en me crachant ses miettes de Figolu à la figure.

À ce moment-là, Julie se mit à chuchoter comme si soudain, nous devions nous méfier du monde extérieur.

— On nous demande d'être des femmes parfaites. Pour nous tuer à la tâche ! Nous devons être capables de prouesses dans *tous* les domaines de l'existence.

— Ah bon…, dis-je, surprise, car je n'avais jamais vu Julie aussi en colère.

— Tu ne vois pas ? Une armée de femmes couteaux-suisses s'est mise en marche au garde-à-vous, terrorisées à l'idée de rester dans le rang de la jeunesse, de la performance, de la beauté.

Julie ne chuchotait plus, on ne pouvait plus l'arrêter et elle parlait avec précipitation.

— Nos mères ont cru faire la révolution. Mais en fait, elles nous ont précipitées, tel le joueur de flûte, au bord du précipice ! Car non seulement nous devons désormais être performantes dans tous les domaines : travail, famille et couple. Non seulement nous devons avoir toutes les qualités, mais il faut les posséder *ad vitam æternam* ! Aujourd'hui, la différence entre la femme de vingt-cinq ans et celle de soixante ans ne doit plus être sa silhouette, ni sa façon de s'habiller, ni ses goûts, mais son pouvoir d'achat, donc le prix qu'elle peut mettre dans sa crème de jour. Évidemment, toi tu t'en fous, fit remarquer Julie, tu ne mets même pas d'après-shampooing.

— Je vois pas le rapport, dis-je, un peu vexée.

— Le rapport, c'est que tu te crois une femme libre. Tu crois même que jamais dans l'histoire de l'humanité, la femme n'a été aussi libre que toi aujourd'hui. Mais regarde autour de nous.

— Quoi ? demandai-je en regardant par réflexe à droite et à gauche, un peu décontenancée par la tournure que prenait notre conversation.

— La condition de la femme ! Nous pensons avoir atteint le sommet de notre liberté mais en réalité le XXIe siècle marque le summum de notre esclavage ! Nous sommes devenues des kamikazes. Et nous en crevons.

Puis Julie s'effondra sur son lit, épuisée, elle me demanda de la laisser se reposer. En sortant, je songeai que si les gens n'aiment pas beaucoup les hôpitaux, moi au contraire, cela me revigore. Jamais je ne me sens en si bonne santé que lorsque j'en sors, avec cette même sensation de délivrance qu'à la fin d'une pièce, lorsque vous poussez les portes du théâtre, l'air frais du dehors emplit vos poumons, vos jambes se remettent à marcher, vous allez enfin pouvoir parler, reprendre le cours de la vie, une vie normale, où les gens ne parlent pas en articulant chaque syllabe de façon exagérée tout en vous postillonnant sur la veste.

Je m'inquiétais de l'influence qu'un institut comme Sainte-Anne pouvait avoir sur mon amie Julie, car elle m'avait semblé bien plus perturbée qu'à son arrivée, surtout quand je songeai qu'elle avait frappé à ma porte à peine deux jours plus tôt, fraîche comme une odeur de Soupline, les cheveux encore humides car elle revenait de la piscine où elle avait nagé de bon matin dans l'idée de nous inscrire comme bénévoles à « la journée de la bibliothèque ».

— Et ça consiste en quoi ? lui avais-je demandé, en pyjama, car je n'avais pas encore pris ma douche.

— C'est simple. On sonne chez les gens du quartier, on leur demande de nous donner quelques livres de leur bibliothèque, pour les offrir à des petites filles dans des écoles au Vietnam.

— Oh t'es chiante…, avais-je soupiré, ça me donne envie d'aller directement me recoucher.

Et j'avais refermé la porte. « Formidable ! avait-elle crié dans le couloir, on va passer un bon moment ! » avait-elle ajouté de bonne humeur.

Voilà où la journée de la bibliothèque nous avait menées : sur un lit d'hôpital, Julie en train de tenir des propos délirants sur la situation de la femme en ce nouveau millénaire. Tout cela était tellement inattendu. Mais me donna une idée.

En septembre dernier, suite à un énième mariage désastreux – la mariée m'accusait de l'avoir prise uniquement sous des angles disgracieux, dans l'unique intention, pernicieuse, de détruire son couple –, je m'étais inscrite à un concours, organisé dans le cadre des Rencontres de la photographie de la ville d'Arles. Le lauréat serait exposé pendant toute la durée de ce prestigieux festival et recevrait une bourse. Le thème du concours était « Portrait(s) de femme(s) », en hommage à la photographe Julia Margaret Cameron qui serait célébrée cette année-là. Évidemment, il fallait s'approprier le sujet, lui donner un angle intéressant, mais jusqu'à présent, je n'avais pas trouvé l'idée qui me porterait, celle qui me ferait gagner. Or il ne me restait plus que deux semaines pour rendre mes images avant la clôture du concours.

Mais la discussion avec Julie m'avait réveillée. Mon projet s'appellerait *Une femme parfaite*. Julie en était le point de départ et d'une certaine manière je raconterais son histoire. Je prendrais en photographie des femmes admirables, des héroïnes du quotidien, des modèles pour leur entourage. Et à travers ces différents portraits, se dessinerait l'idée que la femme d'aujourd'hui veut donner d'elle-même – le portrait d'une femme idéale. Mais j'en chercherais aussi la faille, la fragilité, le point de rupture. Je guetterais les signes de folie dans cette impossible quête de la perfection. En quinze jours, je m'en sentais capable – le plus important, c'est un bon sujet, après, tout peut arriver. Pour commencer, il fallait trouver des modèles. Je ne pouvais pas passer une annonce dans le journal : « Recherche femme parfaite pour projet photographique. » En croisant Thierry dans l'escalier, j'eus l'idée de lui demander qui, selon lui, incarnait l'idéal féminin aux yeux de sa femme.

— Julie Andrieu, me répondit-il du tac au tac. Elle en est complètement obsédée.

Thierry m'expliqua que c'était une présentatrice de télévision spécialisée dans les reportages gastronomiques. Malheureusement, lui dis-je, ce serait plus facile pour moi d'aborder des femmes qui n'étaient pas célèbres.

— Alors appelle Marie Wagner, me dit Thierry, elle est médecin. Son mari est mort il y a deux ans, il était pasteur. Julie dit toujours : « Cette femme, c'est une sainte. »

Marie

Ma première exposition de photographies eut lieu dans le hall de la sous-préfecture d'Antony en 1999. Je participais à un atelier artistique pour les jeunes des Hauts-de-Seine offert par la région Île-de-France.

Le jour du vernissage, mes parents demandèrent à Patrick Devedjian – qui était à l'époque le député-maire de la ville – de subventionner leur nouvelle compagnie théâtrale. Puis, ils firent le tour de l'exposition au pas de charge, et ils me dirent, avant de se jeter sur le buffet :

— Tu devrais photographier des jolies filles, au lieu de prendre des thons.

— C'est vrai, ce serait plus agréable à regarder.

Il faut préciser que c'étaient des thons, au sens premier du terme. L'atelier des jeunes étant financé par Rungis, nous devions réaliser un projet en rapport avec le marché international. J'avais choisi de reconstituer la vie d'un thon, depuis sa pêche jusqu'à l'assiette d'un restaurant, en passant par les étals du marché et les différentes phases de transformation du poisson. Je m'étais passionnée pour le sujet, contrairement à mes parents, qui auraient sans doute été rassurés pour ma future carrière que je fasse des portraits de mes copines de classe, fumant des Craven A en petite culotte dans le salon, à la David Hamilton, au lieu de photographier des poissons morts. Comme quoi, cela n'apporte pas grand-chose dans la vie d'avoir des parents artistes, car ce que veulent et voudront toujours un père et une mère, c'est du solide. Cette sentence prononcée devant mon travail avait dû me marquer, parce que quinze ans plus tard, je me trouvais sur la route, déterminée à photographier des portraits de femmes parfaites.

Sur cette autoroute Océane qui porte un nom de salade au saumon, le paysage défilait à toute allure. Marie Wagner avait accepté de me recevoir chez elle, le jour même, à Machecoul en Loire-Atlantique. Évidemment j'aurais préféré une sainte en région parisienne, mais je n'avais plus le temps de faire la difficile, chaque jour comptait désormais si je voulais gagner le concours et changer ma vie.

Marie Wagner est une femme de quarante-cinq ans, minuscule, on dirait un amas de petites brindilles qui constituerait accidentellement un être humain. Elle habite une jolie maison, au fond d'un joli jardin, et tout est vraiment joli chez elle, en particulier la forme de ses pommettes quand elle sourit qui nous font comprendre que l'expression vient de « petites pommes ». D'abord elle me fit asseoir dans son salon, autour d'une tasse de thé, puis elle me présenta longuement ses tapis, qu'elle tissait elle-même depuis la mort de son mari, des petits tapis marron et poilus qui me firent penser aux pelotes de réjection que nous disséquions en classe de sciences naturelles, ces boules de poils agglomérés, régurgitées par les oiseaux rapaces, qui contiennent des os d'oisillons ou de rongeurs. Je proposai à Marie que nous parlions un petit moment avant la séance de portraits, afin de faire connaissance. Je commençai par me présenter et lui parler de mon travail, lui expliquant à quel point ce concours était important pour moi :

— Le festival d'Arles est mondialement connu. Tous les marchands, les galeristes, les agents viennent y rencontrer les photographes, mais aussi dénicher de nouveaux talents.

— Vous voulez du sucre ? me demanda-t-elle d'une voix blanche, visiblement préoccupée par autre chose.

Quand je lui avais parlé au téléphone, quelques heures auparavant, il m'avait déjà semblé que sa voix était curieuse, faussement calme. Cette sensation de gêne se poursuivait, comme si je la dérangeais au milieu de quelque chose, mais qu'elle ne voulait pas me le faire sentir. Je la trouvais à présent agitée, soucieuse. Pourtant, elle avait accepté immédiatement le rendez-vous, elle avait même insisté pour que je vienne le jour même. Après sa première tasse de thé, elle fut un peu plus calme.

Pour commencer, Marie se lança dans le récit de sa vie, une existence traversée par de grands malheurs, en particulier la mort de son mari, qui l'avait laissée jeune veuve. Ses patients, heureusement, occupaient beaucoup son esprit inconsolable, elle parlait d'eux avec fièvre et humanité. Au début, je fus intriguée par les histoires de cette femme si douce qui menait une vie de médecin de campagne comme au siècle dernier. Et puis ensuite je dois dire que j'ai commencé à m'ennuyer ferme. Pendant qu'elle me racontait ses histoires, je pensais un peu à autre chose, comme lorsque vous êtes en train de lire un livre et prenez conscience que, depuis deux ou trois pages, votre esprit vagabonde. Quand Marie ne me parlait pas des fleurs de son jardin, de ses patients ou de son fils André, elle enchaînait sur feu son mari le pasteur Wagner, l'enfance de son mari, les parents de son mari, la vocation de son mari, le courage de son mari, les prêches de son mari, la maladie de son mari. Au bout d'une heure sur la vie et la mort du pasteur Wagner, je fus obligée de refréner des crises de bâillement, grâce à des subterfuges plus ou moins réussis, tant elle m'ennuyait. Je voulais partir au plus vite, reprendre ma voiture, rentrer à Paris, boire un gin tonic dans un bar d'hôtel, manger des huîtres et faire l'amour.

Le salon où nous nous trouvions me semblait trop sombre pour l'y photographier, voire résolument sinistre. Mais j'apercevais par la fenêtre un grand jardin qui m'inspirait, où j'imaginais bien cette petite bonne femme plantée là, au milieu des grands arbres centenaires, telle une Ève avant le péché originel. Pour qu'une photographie soit intéressante, il faut que le modèle vous donne quelque chose qu'il n'est pas prêt à donner – soit qu'il n'ait pas conscience de ce qu'on veut prendre de lui, soit qu'il n'en ait pas envie. Se met en place un rapport de forces, une tension, qui fera naître une image sur laquelle l'œil aura envie de s'attarder. Mais pour le moment, Marie ne voulait rien donner, elle semblait même avoir oublié que nous devions nous mettre au travail – au milieu d'une description monocorde de l'enterrement du pasteur Wagner, je décidai de m'imposer :

— Et si nous allions dans le jardin pour commencer ?

Marie refusa, gênée. Calmement, je tentai de la convaincre, peut-être n'avait-elle pas vraiment compris le sens de ma démarche, j'étais venue gagner mon ticket pour Arles, pas pour parler de feu le pasteur Wagner en mangeant du quatre-quarts. C'est un projet, lui rappelai-je, dans lequel je questionne l'image que les femmes projettent d'elles-mêmes. À l'issue de chaque séance, la femme que j'ai photographiée me donne le nom d'une autre femme, qu'elle admire, que je vais photographier à son tour. *Une femme parfaite* dessinera ainsi une ronde de femmes, certes aléatoire, mais reflétant un certain idéal contemporain.

— Julie vous a citée, car elle vous admire énormément, en rajoutai-je pour la flatter, je crois que vous êtes un modèle pour elle.

Mais Marie me regarda d'un air perplexe. Ses deux sourcils s'étaient rapprochés l'un de l'autre, dans un signe d'embarras.

— C'est mon mari qui était digne d'être photographié. Pas moi.

— Excusez-moi…, lui dis-je en ne cachant plus mon agacement, vous comprenez bien que je n'ai pas fait toute cette route pour rien.

— Je suis vraiment désolée, me dit-elle fermement.

— Julie m'avait pourtant dit que vous étiez une sainte.

— Pardon ? dit Marie en rentrant le menton dans son cou.

Elle écarquilla les yeux, puis devint toute rouge, comme si tout son sang lui était monté à la tête. Un éclair silencieux traversa son petit corps et l'air se chargea soudain d'électricité statique.

— Je ne suis pas une sainte, me dit-elle d'un air très solennel.

— Je disais ça comme ça, c'est une façon de parler.

— Je suis le diable, ajouta-t-elle d'une voix très déterminée.

Je ne m'attendais pas du tout à cette réponse. Encore moins à voir le blanc de ses yeux se serpenter de veines rouges.

— Je suis le diable, répéta-t-elle plus fort.

— Oh oh oh, j'ai compris ! lui dis-je. C'est pas la peine de hurler. Je crois surtout que vous êtes fatiguée… je vais vous laisser vous reposer.

— Non ! Restez ! Je dois vous montrer quelque chose.

Le regard de cette femme avait changé, ses pupilles s'étaient dilatées comme sous l'emprise d'une substance ou d'un esprit malin.

— Venez avec moi. Il faut que quelqu'un sache.

En me disant cela, la petite femme me prit par la main. Au contact de ses doigts glacés je frissonnai en songeant que je n'avais pas prévenu mon fils de l'endroit où je me trouvais et que cette femme pouvait m'enfermer, m'obliger à m'habiller avec les vêtements de son mari durant de longues années sans que personne vienne me chercher.

Marie m'entraîna au premier étage. En montant les escaliers, je n'osais lever les yeux sur les murs tapissés, où languissaient des photographies noircies par le temps, des cadres ovales avec des portraits d'ancêtres effrayants. Ensuite, la veuve me conduisit à travers les couloirs jusqu'à sa porte. Là, tout doucement, elle tourna la poignée sans faire de bruit. Sa chambre était plongée dans l'obscurité car les rideaux n'avaient pas été tirés malgré l'heure tardive. Dans ce clair-obscur, je distinguai tout de même un lit surmonté d'une croix, sur lequel gisait, au beau milieu de la rivière, un grand corps à la peau blanche. Un jeune homme dormait là, nu, au milieu des meubles surannés, telle une luciole brillant dans la nuit.

Marie fixa mon visage pour y lire ma pensée – car je voyais bien qu'elle attendait quelque chose de moi, une parole, une réaction, que sais-je encore… Mais je ne savais pas quoi dire, je ne comprenais pas du tout ce que je voyais.

— C'est votre fils ? demandai-je sans envie de connaître la réponse, car je me rendais bien compte que, positive ou négative, elle serait dans les deux cas embarrassante.

— Mais non, dit Marie en criant, je ne couche pas avec mon fils !

— Eh oh ! M'engueulez pas…, répondis-je, surprise de l'entendre changer de ton.

Marie m'attrapa par le coude pour me conduire dans un petit bureau adjacent qu'elle ferma à clé. Là, elle se jeta sur un divan et enfouit son visage au creux de ses bras comme une héroïne de Dostoïevski. Dans cette position, elle me parut encore plus ridiculement petite que tout à l'heure. Je me sentais désemparée. Si vous n'allez pas bien, il vaut mieux se confier à une femme comme Julie qui connaît les phrases réconfortantes, celles qui soulagent. Moi non. Au contraire, quand les gens me parlent de leurs problèmes, je suis embêtée pour eux, voilà tout, mais malheureusement je ne vois pas pourquoi j'aurais plus d'imagination qu'eux pour trouver des solutions à leur propre vie.

Je restai donc sans rien dire, debout, à regarder Marie gémir sur le canapé. Au bout d'un certain temps, comme un vase qui se serait entièrement vidé, Marie cessa ses secousses et se releva, sèche de toute larme, en tapotant le canapé de sa petite main, pour me faire comprendre de m'y asseoir à côté d'elle. De près, je pus constater que son visage n'était pas chiffonné, ses yeux n'étaient pas rouges, rien dans ses traits ne trahissait l'effondrement qui venait d'avoir lieu. C'était stupéfiant. Marie m'expliqua avec le plus grand calme du monde, qu'elle m'avait fait venir chez elle pour une raison bien précise, mais pas du tout dans l'intention de se faire photographier. En vérité, elle avait considéré mon coup de fil comme un signe de Dieu.

— Pardon ?

— Oui. J'étais en train de prier quand vous avez téléphoné.

— Et…

— Je demandais à Dieu de me désigner mon confesseur, car il faut que quelqu'un sache la vérité.

Et ce quelqu'un c'était moi. Je compris qu'il fallait à présent que j'écoute ce qu'elle avait à me dire, sans oublier que l'heure tournait et que nous avions des photographies à faire.

Le mois dernier, m'exposa Marie, une boulangère de Couëron lui demanda de venir la rejoindre toutes affaires cessantes. La boulangère s'inquiétait pour un vieil homme, un retraité dont elle s'occupait, qui avait attrapé une mauvaise bronchite quelques jours auparavant. Avec le froid et l'humidité, la bronchite avait dégénéré. Le malade menaçait de s'étouffer d'heure en heure.

Couëron, précisa-t-elle, se trouve à moins d'une heure de route de Machecoul, mais une fine pellicule de givre ralentissait les conducteurs, la chaussée étant devenue glissante et visqueuse.

— Le docteur est arrivé ! hurla la boulangère car le vieillard était sourd.

Le grand-père longiligne gisait comme un phasme, ces insectes qu'on appelle aussi « bâton du diable », dont le thorax imite les bouts de bois sur lesquels ils se posent. Sa peau, fragile comme de la vieille dentelle, semblait se confondre avec celle des draps. Marie s'assit sur le lit à côté du malade pour écouter sa poitrine, il sursauta sous le froid métallique du stéthoscope. Les bruits qui émanaient des poumons signalaient une pneumonie avancée. Marie téléphona à l'hôpital de

Machecoul afin que le malade y soit transféré d'urgence. Quand elle eut raccroché, la boulangère, une belle blonde au visage recouvert d'un épais duvet d'oiseau, se tourna vers Marie avec un air de mystère.

— J'ai quelque chose d'autre à vous montrer, lui dit-elle. Suivez-moi.

Elles traversèrent un jardin abandonné, vers une ancienne porcherie transformée en cabane. La boulangère y entra sans frapper.

— Je crois que c'est quelqu'un de la famille. Ou je ne sais quoi, annonça-t-elle avec désinvolture.

Marie ne comprenait rien, car son œil n'avait pas encore apprivoisé l'obscurité pour découvrir l'intérieur de la pièce et en distinguer les contours.

— Va bien falloir en faire quelque chose, pendant que le vieux est à l'hôpital! dit la boulangère.

Alors Marie aperçut un être, recroquevillé au pied d'un lit. Ses cheveux longs et blonds, touffus, ne laissaient pas deviner son sexe, cela aurait pu être une fille comme un garçon. Tout autant qu'un animal.

— C'est un aveugle, expliqua la boulangère.

— Il vit ici, avec monsieur Le Goff?

— Oui.

— C'est son fils?

— Oh non! Monsieur Le Goff n'a jamais eu de femme ni d'enfant. Il n'aime personne.

Marie s'accroupit à la hauteur de l'être immobile.

— C'est pas la peine de lui parler, il vous répondra pas ! s'exclama la boulangère.

En effet, rien ne frémissait en lui.

— Il est dans cette position depuis ce matin, soupira la bonne femme. Un chien battu.

— Quel âge as-tu ? demanda Marie à la chose recroquevillée.

— Je ne sais pas, répondit la boulangère à sa place. Entre quinze et dix-huit ans.

— Et monsieur Le Goff ne peut pas nous renseigner ?

— Je lui ai souvent posé des questions sur le gamin... il n'a jamais répondu.

— Comment tu t'appelles ? demanda Marie à l'être hirsute.

— C'est peine perdue, je vous dis. Il ne voit pas... mais il ne parle pas non plus, à mon avis il est aussi sourd que le vieux.

— Est-ce que tu m'entends ? persévéra-t-elle.

— Je pense que c'est un attardé, soupira la boulangère, agacée que Marie continue de poser des questions qu'elle jugeait inutiles.

« Je me sentais gênée, dit Marie, que la boulangère parle devant cet être comme s'il n'était pas là. Vous remarquerez que les gens se l'autorisent avec les vieilles personnes, les enfants et les malades. »

— Qu'allez-vous faire de lui ? demanda Marie.

— Moi ? Rien..., répondit la bonne femme en

éclatant de rire tant la question lui semblait incongrue.

— Mais il ne peut pas rester seul ! L'hôpital ne le prendra pas.

— Et moi, que voulez-vous que j'en fasse ? J'ai déjà les chiens qui prennent toute la place.

Marie n'en voulait pas à cette brave femme qui avait pris soin d'un vieillard sourd. « Paul, mon mari le pasteur Wagner, murmura-t-elle, disait souvent qu'il faut accepter que chacun donne à sa mesure. Nous ne sommes pas tous armés de la même façon pour lutter contre les malheurs et nous ne sommes pas dotés des mêmes facultés d'aimer. Chaque don est un don, qu'importe son poids et sa mesure, il n'est pas une démonstration, mais une attention. »

Puis Marie demanda à la boulangère d'aller chercher dans la chambre du vieillard sa sacoche de médecin, afin de procéder à l'examen physique du jeune garçon. En attendant qu'elle revienne, Marie observa le petit jardin oublié où elle se trouvait, le froid glaçait ses os en ce dimanche matin, à chaque respiration, ses lèvres étaient piquées par mille aiguilles de givre. Mais une bonté de la nature gonflait sa poitrine, son cœur battait si fort que le tissu de son manteau en tremblait. Elle songea, perdue au milieu de ce nulle part, que Dieu et son mari la regardaient. De retour dans le cabanon, Marie écouta les bruits que faisait le corps de cet adolescent : tout était en ordre, aucune aire ganglionnaire, aucun organe gonflé, ses intestins et ses poumons semblaient en bonne santé. Lorsqu'elle fit tinter son stéthoscope à côté de l'oreille, elle observa qu'il n'y avait pas de surdité. Sous la saleté de la peau, on devinait une éclatante blancheur d'ivoire. Et au dessin de ses muscles vaillants, Marie songea que l'aveugle devait avoir quelque chose comme dix-huit ans.

Elle prit sa voiture pour attendre l'ambulance sur la route de Couëron, afin de la convoyer jusqu'à la maison, sans prendre le risque de se perdre et, par là même, retarder le transfert du vieillard qui respirait de plus en plus mal.

La boulangère et le jeune aveugle reposaient en silence au chevet du malade. Marie scruta les signes de morbidité sur le visage délavé du grand-père, aux traits effacés, comme ces couvertures de livres dont les couleurs disparaissent avec le temps, sous l'effet de la lumière. La boulangère avait revêtu son large manteau de laine orange, ceint à la taille par une bande de cuir. Paumes ouvertes, elle semblait lire une bible invisible entre ses mains. L'aveugle surgissait de ses ténèbres, éclairé par la lampe de chevet, dont la lumière faisait blanchir son visage, écrasant ses traits. Une quiétude, venue d'un autre temps, plongeait la maison dans un recueillement sage qui lui donna beaucoup de courage. Ce tableau humain, nature vivante, l'emplit d'une émotion ancienne et silencieuse. Marie décida qu'elle ramènerait l'adolescent chez elle, afin d'apporter quelques jours de joie dans cette vie de douleur. Plus tard, comme l'agneau à la patte cassée, elle le redonnerait au troupeau des siens, une fois que ses os seraient assez forts pour qu'il puisse marcher seul.

L'ambulance partie, le jeune homme se laissa conduire jusqu'à la voiture. Marie dit au revoir à la boulangère qui les regarda partir clopin-clopant, soulagée sans doute de ne pas s'encombrer d'un être humain.

Le chemin du retour fut très long, à cause d'un tracteur qui la devança sur tout le chemin. Marie se demandait comment, au XXIe siècle, se trouvaient encore des enfants sauvages, en marge de tout système scolaire. Comment cet être avait-il pu passer dix-huit ans sans que quelqu'un, quelque part, se soucie de son sort ?

Il était presque midi lorsqu'elle arriva chez elle.

— C'est un malade mental ? demanda son fils André.

— Non, répondit-elle. Je viens de te dire qu'il est aveugle.

— Mais il va rester chez nous ? demanda-t-il avec répugnance.

Marie fut désolée de constater l'étroitesse de sa jeune âme, où les élans de générosité ne pouvaient déployer leurs ailes.

— Mais maman ! On dirait que tu l'as volé ! s'écria-t-il pour se défendre.

— J'irai demain matin à la mairie, voir ce qu'on peut faire de lui, dit-elle.

— En attendant, répondit André, donnons-lui une apparence humaine car sinon personne ne voudra le reprendre.

Sur ce point, son fils avait raison. Le spectre sans regard qui gisait dans la cuisine était sale comme un peigne, il fallait qu'André lui donne son premier bain. Lorsqu'ils eurent terminé, ce fut un mendiant des contes de Dickens qui apparut dans la cuisine, portant à même la peau un vieux pantalon de pêche en toile qui bâillait à l'entrejambe.

— Je l'ai prénommé Germain.

— Ça sonne bien, dit Marie, on dirait que c'est un cousin éloigné.

En prenant ainsi la paternité de l'aveugle, lui donnant son nom et son bain baptismal, le fils changea d'attitude vis-à-vis du garçon. Son besoin insatiable d'autorité était ainsi satisfait. Il n'avait plus à obéir à sa mère en acceptant l'étranger dans la maison : il devenait lui-même l'hôte.

— Nous allons lui raser la tête. Elle est pleine de poux, dit-il avec une moue d'aversion, insistant sur le « p » du mot poux.

Debout dans la salle de bains, telle une statue romaine, André fit tomber les longues mèches blondes de Germain sur les pages d'un journal. L'épouvantail silencieux se laissait faire, sans bouger son visage, troué de deux orbites dont les yeux semblaient absents. Le journal prenait l'humidité, et l'odeur d'encre mouillée se mêlait à celle du savon, une odeur de propre et de bois trempé émanait du bain qui venait d'être donné à grandes eaux.

La vue des boucles jaunes sur le sol effraya Marie, qui aperçut là comme des petits cadavres. Quelques instants plus tard, quand Marie vit surgir le crâne tuméfié de Germain, elle pensa à ces femmes tondues à la Libération qui expiaient les fautes d'une nation entière. Elle était mal à l'aise, ne parvenant même plus à le regarder en face. Il lui semblait que son fils l'avait volontairement humilié en le rendant si laid. Néanmoins une chose la consola : dans sa condition d'infirme, le pauvre pouilleux ne pouvait pas assister au spectacle pitoyable de sa propre désolation.

Jour après jour, Marie fit son possible pour sortir le jeune homme de son mutisme et de ses ténèbres. Très vite, elle se rendit compte que non seulement l'aveugle n'était pas sourd, mais qu'il savait parler. Marie sentait tout au fond de son cœur qu'un chemin de grâce s'ouvrait, pour découvrir la lumière intérieure de cet être différent. Une tâche lui était confiée, une immense tâche à accomplir. Dans une grande confusion, Marie évoqua ce qu'elle nomma : sa propre marche vers la connaissance.

Puis elle s'arrêta de parler.

Nous étions toujours assises dans son bureau, derrière l'unique fenêtre, de gros nuages gris cachèrent le soleil, ce changement soudain de lumière me ramena au moment présent, à ce petit bureau bien rangé, dans cette maison trop

grande, entourée d'un jardin trop bien entre-
tenu. Son récit m'avait transportée si loin dans
le temps, si loin de l'endroit où nous nous trouvions, que j'en avais oublié la raison de ma
venue, j'avais oublié Arles, le concours de photographies, j'avais oublié que Julie était à l'hôpital, j'avais même oublié que Germain, le jeune
homme dont elle parlait, se trouvait allongé
dans la pièce mitoyenne.

Mais l'histoire n'était pas terminée. Marie se
tortillait sur le canapé, elle regardait ses doigts,
montrant des signes d'hésitation, elle attendait
que je l'encourage à parler. Heureusement je
compris vite ce que sa pudeur l'empêchait de
révéler. Je n'avais pas besoin de mots pour saisir
ce qu'elle avait vécu avec Germain : j'avais vu le
corps du jeune homme nu dans son lit. J'avais
compris comment la situation avait dérapé.

Brièvement, chaque syllabe brûlant sa langue,
Marie m'avoua qu'elle avait eu des relations avec
le jeune homme. Le fait que Germain ne puisse
pas la voir la libérait de sa culpabilité, la débarras-
sait de la honte qu'elle avait autrefois ressentie
dans la sexualité. Sa découverte de la jouissance
ne la laissait plus en paix, elle était insatiable et
ne laissait aucun répit au jeune homme. Sa cécité,
m'expliqua-t-elle, lui avait permis de s'abandonner à lui totalement, faisant naître un plaisir
qu'elle n'avait jamais connu auparavant. Mais ce
plaisir avait ouvert une porte, dans laquelle
s'étaient engouffrés d'autres sentiments violents.

Pour la première fois de sa vie, Marie était traversée par une jalousie maladive vis-à-vis de son fils. Elle ne le supportait plus. Et devenait folle face à la complicité de ses jeux innocents avec Germain dans lesquels son regard de femme possessive trouvait du vice.

— Effectivement, ce n'est pas le comportement d'une sainte, lui confirmai-je.

Nous sommes ensuite restées silencieuses un long moment, jusqu'à ce que le soleil réapparaisse dans le ciel, alors je fis une croix définitive sur la séance de portraits. Je rentrerais bredouille à Paris.

Alizée

Sur le chemin du retour, je songeai qu'à défaut d'avoir avancé pour mon concours, je tenais un sujet en or : une veuve de pasteur dévoie sexuellement un garçon mineur et handicapé sous le même toit que son fils – sans savoir que les deux jeunes garçons couchent aussi ensemble. Il y avait là une sacrée matière. Mais malheureusement je me suis souvenue par la suite qu'André Gide avait déjà traité le sujet. C'est décourageant pour nous, les artistes du XXIe siècle, nous sommes condamnés au recyclage, obligés de vivre dans la citation permanente, de produire des œuvres plastiques sur le mode de la dérision, et de façon générale, contraints de cultiver l'ironie dans tous les domaines artistiques. Un malheur ne venant jamais seul, c'est sur ce constat pénible que la radio annonça des bouchons à l'entrée de Paris. Je décidai de m'arrêter à la prochaine station-service pour prendre de l'essence.

La station de Pruillé-le-Chétif était un grand bâtiment « design » de forme ovale, entièrement recouvert de bois clair, évoquant une gigantesque baignoire suédoise posée au milieu de nulle part, offrant aux voyageurs une oasis de modernité architecturale dans la monotonie de l'univers autoroutier. Cette station était si neuve, si rutilante, que je fus aussi impressionnée qu'à l'entrée du MoMA, et je me félicitai d'avoir pris au bon moment la décision d'acheter de l'essence et des saucissons nains.

Une jeune fille en jogging gris clair, capuche sur la tête, flânait devant moi au rayon des produits apéritifs. Elle tentait vaguement de voler un paquet de Pringles goût BBQ en les glissant dans sa poche, mais elle faisait cela si maladroitement que j'avais envie d'intervenir pour l'empêcher de passer un sale quart d'heure à la caisse. Je laissai tomber – après tout ce n'était pas ma fille. Encore qu'elle aurait pu l'être et je me demandai à quoi pouvaient bien ressembler des parents qui laissent traîner une gamine à pas d'heure dans une station-service au bord d'une autoroute. Je sais que je n'ai pas été une mère modèle, bien au contraire, je crois même m'être appliquée à ne pas l'être. Néanmoins je peux jurer que j'ai fait de nombreux efforts pour tenter d'élever mon fils Sylvain le mieux possible, c'est-à-dire faisant en sorte que, très vite, il n'ait plus besoin de moi. Et je considère lui avoir rendu service en acceptant que la société pose sur moi le regard indigné d'une mère approximative – car j'ai mis entre nous une distance sanitaire, hygiénique, ayant moi-même été dégoûtée lorsque j'étais enfant par la situation gênante qui consiste à être sorti d'un ventre. Mon fils est devenu un être plutôt heureux et équilibré, grâce à la distance que j'ai réussi à mettre entre nous. Je n'ai fait de lui, ni un être pour me distraire, ni pour me rassurer, ni pour me survivre. D'ailleurs je n'ai rien fait de lui. Il existe. Tout seul. Et ce n'est pas donné à tout le monde une chose pareille. Je le regarde mener sa vie sans avoir de comptes à me rendre. Il ne sait pas et ne saura jamais quel sacrifice j'ai fait toutes ces années, en cachant au plus profond de moi-même l'immense besoin que j'avais de lui.

Dix minutes plus tard, je ne fus pas très étonnée de retrouver l'adolescente voleuse de chips, pouce en l'air, à la sortie du parking. Elle brandissait un panneau « PARIS » tout en remuant un skateboard du bout de son pied gauche, lui faisant faire des loopings avec une dextérité spectaculaire. Comme cela ne m'amusait pas du tout de voir cette gamine vagabonder toute seule à la tombée de la nuit, je ralentis la voiture, j'ouvris la fenêtre et lui proposai de monter.

— T'as de la chance de tomber sur moi, dis-je à la petite auto-stoppeuse qui attachait sa ceinture.

— Oui, fit-elle avec un sourire de circonstance.

— Bien qu'il faille se méfier des mères de famille aujourd'hui ! lui-dis-je en hommage sibyllin à Marie Wagner.

— Je sais, me répondit-elle sèchement.

Elle s'appelait Alizée et prétendait avoir dix-huit ans. Elle faisait à la fois plus et moins que son âge, si bien que ce mensonge de dix-huit ans n'était finalement pas si idiot. Elle posa son skate sur la banquette arrière puis enleva sa capuche d'un geste de la main. Je découvris son front blanc, un visage pointu d'oiseau, ses cheveux noirs et raides traversés par une mèche blanche faisaient d'ailleurs penser au plumage d'une pie, elle portait à son poignet un petit bracelet plaqué or rutilant, où la lettre A brillait de mille strass. Je lui demandai ce qu'elle allait faire à Paris, seule, comme ça.

Alizée m'informa – plus qu'elle ne m'expliqua, car elle n'était pas loquace – qu'elle allait dormir chez des copines, pour prendre un train qui les emmènerait ensuite à Annecy, où se déroulait un «contest de skateboard». Et pas n'importe lequel. Le championnat de France.

— Je ne savais pas qu'il existait un championnat de France de skateboard! dis-je.

— France Skateboard, précisa-t-elle. On dit pas le «de».

— Ah bah je savais pas non plus, répondis-je pour être sympa, parce que, en vérité, je m'en foutais complètement de son concours et des questions grammaticales qui s'y rattachaient.

Alizée, avec ses petits poings serrés dans les poches de sa veste de jogging, me fit penser à un personnage de Larry Clark :

57

— Un photographe vraiment cool, tu vois, qui a beaucoup photographié les ados marginaux et le monde du skateboard. Tu devrais jeter un coup d'œil, lui-dis je d'un air décontracté.

Alizée haussa les sourcils comme si ma phrase était la chose la plus déprimante qu'elle ait jamais entendue dans sa vie.

— Bah oui... Je le connais depuis que je suis en cinquième...

— Okay..., dis-je en essayant de ne pas complètement perdre la face.

— Cet été y avait des castings pour son film, mais avec mes copines on a refusé d'y participer.

— Ah bon ? demandai-je, surprise.

— C'est trop un truc de vieux...

Puis Alizée me raconta comment il avait essayé de lécher les orteils d'un copain à elle, en me précisant, au cas où je ne comprendrais pas bien, que « vraiment ça se fait pas ». Je me concentrai sur la route, songeuse, incapable de rebondir sur un nouveau sujet de conversation, parce que l'idée qu'on puisse considérer Larry Clark comme un vieux satyre ringard me laissait sans voix. Mais bizarrement, cette idée m'enthousiasmait tout autant qu'elle me laissait stupéfaite. J'étais offusquée en même temps que secrètement ravie, je retrouvais cette sensation que je n'avais pas ressentie depuis très longtemps, depuis l'adolescence peut-être, lorsque des gens se moquent de vos goûts en critiquant vos idoles.

Ils blessent votre orgueil, vous humilient, tout en vous libérant de l'admiration, ils vous ravissent par surprise.

— Tu es contente d'aller à ce championnat ? lui demandai-je.

Alizée était très contente mais il existe un genre de fille chez qui cela ne se voit jamais et Alizée en faisait partie. Elle daigna néanmoins m'expliquer les grands principes d'un « championnat France Skateboard ». Je comprenais qu'il y avait trois spécialités qui correspondaient à trois tours de compétition : le street, la rampe et le bowl. Un peu comme dans une compétition de ski, entre le slalom, le saut et la vitesse. J'appris qu'Alizée faisait partie d'un collectif de filles visant à promouvoir la pratique du skateboard féminin, organisé chaque année par une commission chargée de préparer une tournée des meilleures représentantes féminines nationales – dont Alizée et ses copines étaient membres.

Elle n'était pas peu fière mais Alizée avait malheureusement peu de vocabulaire à sa disposition pour exprimer toute la palette de ses sentiments. Je comprenais que beaucoup d'émotions la traversaient : il y avait l'excitation de se rendre à une compétition, la peur d'échouer, de se blesser gravement, et celle de se faire engueuler par ses parents qui la pensaient en week-end chez sa déléguée de classe. Alizée exprimait tout cela en quelques phrases pauvres dans lesquelles les

compléments d'objet direct étaient aussi rares
que faibles.

— Et sinon, tu veux faire quoi plus tard ?
demandai-je un peu brusquement.

— Devenir prof… ou monter une école.

— Ah oui ? Il y a des écoles skateboard ?
demandai-je, perplexe.

— De skateboard… là on dit le « de »…,
précisa-t-elle.

Je n'imaginais pas vraiment que le skateboard
fût un sport pratiqué dans des structures péda-
gogiques, mais Alizée me prouva que je me
trompais lourdement, en m'expliquant qu'un
établissement scolaire de Bordeaux avait ouvert
la première section sportive de skateboard en
France. Tout d'un coup, après avoir soupiré
devant l'immensité de la tâche à accomplir, la
future championne daigna s'intéresser à moi,
son humble chauffeur.

— Et vous, vous faites quoi dans la vie ?

— Je suis photographe.

— Vous avez pas l'air, me dit-elle en reculant
son corps vers la fenêtre d'un air méfiant.

— Ah bon ? dis-je surprise. De quoi ça a l'air
un photographe ?

— Je sais pas… mais, j'imagine pas ça comme
ça.

— D'accord. Bah si tu trouves à quoi ça ressemble, tu me dis. En attendant je mets de la
musique.

J'appuyai sur l'autoradio, en me disant qu'elle

commençait sérieusement à m'agacer. Elle ne se rendait pas compte que grâce à moi, à ma gentillesse, à ma diligence, elle échappait aux griffes de déséquilibrés, de violeurs d'auto-stoppeuses, voire de bonnes samaritaines comme Marie qui, sous couvert d'aider la jeunesse, finissent par en abuser sexuellement. Moi je ne demandais rien qu'une conversation de salon et un peu de courtoisie. Elle considérait Larry Clark comme un gros naze. Mais moi je pouvais conjuguer un verbe au passé simple et jusque-là j'avais été gentille, j'avais fait beaucoup d'efforts pour trouver de l'intérêt à cette discussion sur le skateboard, mais à présent je conduisais en écoutant ma musique. La petite Alizée pouvait toujours faire des moues de dégoût devant Jazzafip, comme si, en pénétrant dans son oreille, les notes de musique lui faisaient saigner les tympans, je m'en fichais complètement.

— Mais sinon, vous êtes connue ? Parce que moi je vous connais pas…, dit-elle comme si j'étais suspecte.

Je pris une grande respiration. Très calmement, je lui expliquai que souvent, les grands artistes étaient des gens méconnus de leur vivant et que donc, le problème de tous les artistes est de savoir si nous sommes inconnus parce que mauvais, ou inconnus parce que incompris.

— Van Gogh ça te dit quelque chose ? dis-je un peu agressivement pour la réveiller de sa torpeur.

— Ouais. Je l'ai vu avec la prof de français. J'ai bien aimé.

— T'as vu quoi de Van Gogh ?

— Le film !

Alizée regardait droit devant elle et je songeais que cela devait bien lui convenir, cette façon d'avancer dans la vie en ne voyant pas plus loin que le tronçon de route que la lumière des phares éclairait à distance immédiate. J'avais envie de l'étouffer dans sa capuche, la petite morveuse, de lui faire avaler son skateboard et de la laisser sur la route à la merci d'une veuve de pasteur.

— Tu sais, parfois il faut attendre des années pour que tes contemporains comprennent ton travail, dis-je à la place. Si ça se trouve, je vais mourir juste avant d'être reconnue, tu sais comme Stieg Larsson, ajoutai-je dans une dernière tentative de connivence culturelle.

Une lueur d'intérêt éclaira enfin les grands yeux impassibles d'Alizée. Pour ma part, ma gorge se serrait, comme si tout cela allait vraiment arriver. Je voyais déjà les biographes expliquer qu'une maladie m'avait emportée exprimant mon refus du succès, mon malaise dans l'exposition de moi-même, par blocage psychosomatique contre la réussite et plus globalement le succès – car si j'avais tant attendu pour être reconnue par mes pairs, c'est que je désirais inconsciemment cet échec –, préférant vivre dans l'ombre plutôt que la lumière. Un psychanalyste illustrerait mon cas en découvrant « le complexe de la valise » selon lequel les enfants utilisés par leurs parents pour leur propre gloire ne s'autorisent plus à être connus, une fois arrivés à l'âge adulte.

— Aujourd'hui, certains artistes sont célébrés comme des dieux... alors que personne ne les considérait lorsqu'ils étaient vivants ! Ils auraient pu crever la bouche ouverte, dis-je avec fougue. Les experts, les critiques, tous des faux-jetons qui se branlent devant des fantômes, incapables de baiser des vivants !

J'avais prononcé cette dernière phrase dans un cri qui nous fit sursauter toutes les deux.

— Tu vois, dis-je à Alizée, la rencontre la plus importante de ma jeunesse fut celle de Francesca Woodman. Tu connais ?

— Non.

— Normal.

Alizée s'enfonça dans son fauteuil et remit sa capuche sur la tête pendant que je commençais mon récit de jeunesse.

Francesca

J'avais quinze ans quand j'ai rencontré Lewis,
un musicien américain en pèlerinage à Tours, où
il poursuivait le fantôme d'un grand-oncle qui
avait participé à la libération de la ville à la fin de
la Seconde Guerre mondiale. Nous nous sommes
rencontrés dans un pub irlandais du centre pié-
tonnier, tandis qu'il expliquait au patron comment former un trèfle avec la mousse de la
Guinness. Lewis avait les yeux noirs, des joues
bleu marine à cause d'une barbe mal rasée, il
portait un chapeau en feutre et une chemise en
jean qui sentait fort l'odeur de nuits passées
ailleurs que dans un lit. Il était bien plus vieux
que moi évidemment, et j'aimais bien ça, à
l'époque, les hommes plus âgés.

Comme beaucoup d'Américains, il n'avait
aucune culture générale mais un savoir encyclo-
pédique sur un seul et unique sujet, ce qui leur
permet d'accaparer la conversation pendant des
heures sans que personne puisse intervenir. Le
sujet de Lewis, c'était la Résistance en Touraine.

Si bien que je ne sais pas comment nous en sommes arrivés à parler de Francesca, quel fut le lien entre l'histoire de la ville de Tours et cette jeune photographe américaine – certaines personnes ont un don incroyable pour ériger des ponts inattendus entre différents sujets, tel Lewis, qui avait cette capacité à créer des glissements dans sa propre conversation, sans que personne se rende compte que l'on passait sans cesse du coq à l'âne. Il évoqua Francesca comme on donne des nouvelles d'une très bonne amie. Et je dois dire que je ressentis quelque chose de bizarre à la seconde où j'entendis ce nom de Francesca Woodman, j'eus l'impression qu'il surgissait de ma mémoire. À l'origine, Lewis était un copain de Charlie, le grand frère de Francesca, qu'il avait rencontré à New York au début des années quatre-vingt. Les enfants Woodman étaient très proches. Leur père, George, était peintre et faisait aussi un peu de photographie. Leur mère, Betty, était sculptrice sur céramique. Francesca Woodman fut donc une enfant d'artistes, c'est-à-dire qu'elle avait été confrontée à cette chose étrange qui consiste à voir ses parents s'amuser. Enfant, elle avait comme moi assisté aux fantaisies des adultes. Très vite, Francesca avait commencé à prendre elle-même des photographies, au début pour imiter son père, puis elle ne s'était jamais arrêtée – photographiant sans cesse son corps grandissant et les effets de la puberté sur son anatomie de jeune fille.

Lewis me raconta les après-midi passés avec Charlie et Ryan, la copine de Francesca. Il m'expliquait comment Francesca les mettait en scène :

— Charlie, fais comme si tu mettais ton sexe à l'intérieur du bocal, disait-elle.

— Ryan, mets-toi nue devant le mur et cache ton visage.

— Toi, bouge un peu le bras vers moi quand je te le dirai.

Francesca essaya de se faire exposer, de faire en sorte que ses photographies puissent être vues, mais sans succès. « Elle a le temps », pensaient les galeristes devant cette jeune fille de vingt ans. Mais Francesca n'a pas le temps, elle veut mourir jeune.

— Pourquoi ? me demanda Alizée que seuls les sujets morbides extirpaient de sa somnolence.

— Je vais t'expliquer pourquoi, mais cela ne va pas être facile, parce qu'il faut être très vieux et avoir beaucoup vécu pour comprendre ce que je vais te dire.

Francesca Woodman veut mourir jeune parce qu'elle sait qu'elle a fabriqué des choses fragiles, tellement fragiles, qu'elle ne réussira plus jamais à les fabriquer de nouveau. À vingt ans, elle sait déjà que la grâce qui l'a touchée à l'adolescence est définitivement derrière elle. Francesca sait qu'elle ne pourra jamais que « reproduire » cette grâce dans ses photographies, mais plus jamais en être traversée. Elle sent que c'est déjà fini, la grâce. Par exemple, Francesca considère les amitiés qu'elle a tissées vouées à disparaître, inexorablement. Le temps ne peut que les abîmer, les pervertir. Elle sait que les moments à venir ne seront que des souvenirs rejoués, de vaines tentatives d'entretenir des liens défaits. Elle veut éviter les rencontres de substitution avec des amitiés de moindre valeur. Elle disait : je préfère mourir en voyant toutes ces choses délicates rester intactes, *plutôt que de les voir s'effacer dans le pêle-mêle du temps*. Au fond, Francesca avait tout compris à vingt ans, il y a des êtres qui entrent dans la vie en sachant déjà tout d'elle. Ils ont souvent l'air fatigués, comme s'ils avaient beaucoup couru pour arriver en avance. Se dégage d'eux une forme de nonchalance car ces gens-là doivent trouver des remèdes contre l'ennui de l'existence.

— Tu sais, Alizée, ces remèdes sont connus, ils permettent de se divertir brièvement de la vie mais pas de la conserver longtemps, malheureusement.

Je reviens à ce moment, dans le bar avec Lewis, où le patron faisait des champs de trèfles avec la mousse de Guinness. Soudainement, Lewis m'a regardée droit dans les yeux et il m'a annoncé que le 19 janvier, Francesca avait sauté du toit d'un immeuble de l'East Side. Ce soir-là personne ne savait où elle était, tout le monde pensait qu'elle avait fait une petite fugue, si bien que son corps est resté à la morgue plusieurs jours sans réclamation, la chute ayant rendu son visage méconnaissable. Quelqu'un a fini par l'identifier grâce à ses vêtements, comme quoi, avoir du style c'est aussi valable pour les cadavres. (Un jour j'ai rencontré une femme qui prétendait posséder un beau squelette – le genre de coquetterie difficile à comprendre.) Lewis pleurait et moi je ressentais la tristesse m'envahir comme s'il m'annonçait que ma meilleure amie américaine était morte le 19 janvier dernier. Alors que Francesca était morte en 1981, soit vingt ans en arrière. Il faut comprendre que j'avais envie de pleurer toutes les larmes de mon corps pour la mort d'une fille que je n'avais jamais connue parce que je n'étais même pas née quand Francesca a disparu de la surface du globe terrestre pour s'enfoncer définitivement à l'intérieur.

Lewis me proposa de sécher mes larmes chez lui, il louait un appartement juste au-dessus du pub irlandais. Je me souviens de sa cuisine, où le réfrigérateur en panne servait à ranger toutes ses paires de chaussures cabossées – un vrai piège à fille. Dans la chambre, un matelas posé à même le sol recouvrait toute la surface de la pièce, au mur il avait épinglé la page déchirée d'un catalogue d'exposition américain. C'était une photographie en noir et blanc de Francesca Woodman. Elle était suspendue par les bras à une porte, en chemise de nuit, elle flottait dans l'air, les pieds au-dessus du sol, bras écartés tel un christ ou un fantôme. Elle cachait son visage derrière son épaule, comme lorsqu'on veut se protéger de quelque chose qui vous arrive tout droit dans la figure. Cette vision me mit mal à l'aise parce que je connaissais déjà cette photographie, tout se passait comme si j'avais été témoin de cette scène, cette photographie de Francesca Woodman me plongeait dans un monde très familier. Or, non seulement je n'étais pas née au moment où la photographie avait été prise, mais à cette époque-là, Francesca Woodman était une parfaite inconnue en France : je ne pouvais pas avoir déjà vu cette image quelque part.

Et pourtant je la connaissais déjà par cœur.

Lewis me montra d'autres photographies, dans un catalogue qu'il avait rapporté des États-Unis. Et chaque fois, je retrouvais cette sensation de déjà-vu. Ou plutôt, de déjà-vécu. Ma mémoire révélait ces images à ma conscience, comme lorsque vous tombez sur un album de photographies que vous aviez perdu, puis que vous aviez oublié avoir perdu. En feuilletant le catalogue, je me remémorai cet après-midi passé dans une forêt de bouleaux où Francesca s'était enroulé des écorces d'arbres autour des bras, ayant décidé que nous étions des reines avec nos bracelets sylvestres. Puis je reconnaissais un appartement au papier peint déchiré, délabré, dans lequel nous avions passé tant de jours à imaginer comment il faut s'y prendre pour faire l'amour avec des hommes. Je retrouvais sa poitrine d'adolescente, une poitrine marmoréenne, s'envolant dans les airs avec l'enthousiasme des débutantes le soir d'un grand bal. Je me souvenais de chaque partie de son corps, pour avoir passé des heures à marcher nue avec elle, comme deux animaux, à quatre pattes, contemplant nos sexes veloutés et laineux dans des miroirs posés sur le sol. Je respirais l'odeur de la fourrure d'un renardeau qu'elle posait à même sa peau de jeune fille, et celle insupportable, âcre et morbide, des oiseaux morts qu'elle épinglait sur le mur avec des bouts de Scotch.

— C'est Francesca Woodman qui m'a donné envie d'être photographe. Il faut que tu connaisses ça. Je suis sûre que ça te plairait, dis-je à Alizée.

Mais Alizée dormait, la bouche entrouverte, ronflant presque, cachée sous sa capuche, ses écouteurs sur les oreilles. Depuis combien de temps ? Longtemps sans doute, puisque nous étions arrivées à destination.

Je réveillai doucement la petite auto-stoppeuse à la porte Dorée où elle m'avait demandé de la déposer. Je ne lui en voulais pas car le souvenir de Francesca Woodman avait attendri mon cœur comme une viande que l'on a martelée. En descendant de la voiture, la petite pie se pencha pour prendre son skateboard sur la banquette arrière, la raie de ses fesses émergeant de son jogging gris. Je lui posai alors la question :

— Et dis-moi, ce serait qui, pour toi, un modèle de femme à qui tu voudrais ressembler ?

— Euh… je sais pas…, lança-t-elle en levant ses sourcils, puis elle s'exclama : Une femme comme vous !

Sa réponse me surprit d'abord. Puis me toucha. Certes, elle s'était endormie pendant que je lui parlais. Mais quelque chose de Francesca Woodman, une idée, rien que le nom, était gravé quelque part dans sa mémoire.

— Ahahaha non je rigole ! dit-elle dans un rire criard.

Je lui fis un large sourire pour ne pas laisser paraître ma vexation.

— Tu crois que j'avais pas compris que c'était une blague ? dis-je, en espérant ne plus jamais croiser sur ma route ce genre de petite conne.

Avant de lui claquer la porte au ncz.

Zelda

Il fallait que j'aille boire un gin tonic pour me remettre. Voire, plusieurs. J'étais fatiguée, j'avais fait un aller-retour en Loire-Atlantique pour rien, la jeune Alizée m'avait déprimée. Je décidai de m'arrêter au premier grand hôtel que je trouverais sur ma route.

J'aime les bars d'hôtel. J'ai toujours pensé qu'ils sont appréciés, pas tant pour la saveur des cocktails, que pour la qualité d'écoute des barmen – c'est dans leurs oreilles que réside le véritable raffinement des établissements étoilés. Un homme en costume-cravate, tiré à quatre épingles, sourit à vos blagues, dodeline de la tête, acquiesce à chacune de vos paroles, intervient de temps en temps dans la conversation, avec délicatesse, pour ne pas vous donner la sensation que vous monologuez tel un ivrogne au comptoir. Vous pouvez être sûr qu'il ne vous ennuiera pas avec ses propres histoires, qu'il ne racontera pas cette chose incroyable qui lui est arrivée la veille, car vous êtes la seule personne qui vous intéresse en cet instant, et cet homme qui vous sert à boire n'écoute que vous, n'est là que pour vous. Pas un seul moment il ne va vous parler de ses problèmes, ni vous dire qu'il est temps pour lui de rentrer, ni vous demander de lui montrer vos seins : voilà où se niche l'élégance des palaces.

— Vous auriez pas du citron vert ?

Ce soir-là, le barman s'appelait François, il avait un grain de beauté sur le bas de la joue et à la façon délicate dont il essuyait les verres, à ses sourcils épilés et ses ongles faits, j'en conclus que je n'étais pas la seule femme au bar. L'ivresse aidant, je lui racontai mon aventure avec la veuve d'un pasteur. François m'écoutait les yeux écarquillés, grands ouverts, comme si nous étions deux amis de toujours, seuls au monde, jusqu'à ce qu'une cliente de l'hôtel vienne s'installer au comptoir. C'était une femme de quarante ans en pantalon de cuir, qui portait *L'Heure Bleue* de Guerlain, et de ses doigts immensément longs, fumait une cigarette électronique. Nous engageâmes une conversation civilisée car nous étions aussi ivres l'une que l'autre et nous n'avions aucune envie de rentrer chez nous. Elle était drôle, avec beaucoup de chien, elle s'appelait Georgia comme sa grand-mère italienne, mais elle était française. Depuis dix ans elle vivait à Delhi, où elle était acheteuse de textile artisanal pour des marques de luxe européennes. Je lui expliquai que j'étais photographe professionnelle, mais que je travaillais aussi à une œuvre personnelle.

— J'expose à Arles l'été prochain, si vous êtes dans le coin…, dis-je en misant sur ma réussite de façon éhontée.

— Arles ! Je parle à une grande photographe ! s'exclama Georgia. Et vous travaillez sur quoi ? demanda-t-elle, intéressée.

— Le thème de « la femme parfaite », ajoutai-je avec aplomb en avalant une gorgée de mon gin tonic.

— Il semblerait que la perfection féminine ne soit pas tout à fait synonyme de bonheur, me dit-elle en montrant son verre à François pour qu'il le remplisse de nouveau. Marilyn Monroe, Rita Hayworth, Ava Gardner, Lauren Bacall…, égrena Georgia, songeuse.

Puis il y eut un silence car personne ne trouvait comment relancer la conversation. Nous étions perdues dans nos verres et nos pensées. Par une association d'idées, *Wonder Woman*, cette série américaine qui passait l'après-midi sur la sixième chaîne à la fin des années quatre-vingt, me traversa l'esprit. J'adorais l'actrice Lynda Carter, avec son short étoilé, sa grosse poitrine, sa ceinture magique et son diadème en or. Mes moments préférés étaient ceux où Wonder Woman était en civil, sous le nom de Diana Prince, femme seule travaillant sur une plate-forme militaire. Tous les hommes la prenaient pour une idiote, avant de s'agenouiller comme des enfants pour que cette femme, une fois déguisée en combishort, vienne les sauver de la destruction de la planète.

— Vous vous souvenez des lunettes de Diana Prince ? dis-je, tandis que mon coude ripait du bar.

Mais ni François ni Georgia n'avaient regardé *Wonder Woman* dans leur tendre enfance. Je leur expliquai dans les détails les tenants et les aboutissants de la série, ce qui permit de meubler un peu le vide de la conversation. Pour ne pas avoir l'air de rabaisser le débat, je soulevai l'idée que les super-héroïnes avaient peut-être précipité les femmes dans une course à la performance.

— Peut-être que nous voulons ressembler à ces femmes surpuissantes des *comics*, dis-je.

— Je ne suis pas d'accord avec vous, me dit Georgia en plantant pour la première fois ses yeux dans les miens.

Jamais une femme ne m'avait regardée de la sorte, alors je me mis à lui sourire bêtement, comme si elle venait de dire la chose la plus merveilleuse du monde. Elle continua :

— Je ne crois pas que les femmes d'aujourd'hui poursuivent un idéal féminin, comme au temps des actrices que je viens de vous citer. Bien au contraire. Je pense que les choses se sont complètement inversées. Pour la première fois dans l'histoire de l'humanité, les femmes ne veulent plus ressembler à des femmes.

Nous étions toutes les deux très ivres, notre conversation n'avait ni queue ni tête, mais nous parlions avec autant de gravité qu'un cours inaugural au Collège de France, et le ridicule n'avait aucune importance parce que la seule chose qui comptait, c'était de ne plus jamais rentrer chez soi. Jamais. De la vie entière. À cause de l'ivresse. Mais aussi à cause des narines de Georgia. Deux petits coquillages joliment dessinés, roses et ourlés, les plus belles narines qu'il me fût jamais donné de regarder.

— Commençons par le commencement, dit-elle en remuant ses glaçons dans son whisky. À votre avis, à quoi servent nos rondeurs ? Nos culs, nos seins et nos ventres ?

Comme nous ne trouvions pas la réponse, Georgia nous expliqua que ces graisses, appelées « caractères sexuels secondaires », servent à garantir la reproduction de l'espèce en attirant l'autre sexe. On observe par exemple que les seins des femmes augmentent de volume en fonction du taux d'hormones sécrété par leur organisme, de même que les bouches pâlissent et s'affinent après la ménopause – ce qui explique l'importance du rouge à lèvres dans l'histoire de la cosmétique.

— Vous avez l'équivalent chez les animaux, simplifia Georgia, c'est la crête écarlate des coqs qui sert à attirer les femelles. Mais depuis trente ans, les femmes cherchent à estomper ce qui fait partie du système reproducteur. Nous voulons effacer les atours du corps féminin, faire lentement disparaître ce pour quoi les hommes se pâmaient devant nous. À votre avis, pourquoi cherche-t-on à dégonfler les femmes comme des ballons percés ? À les rendre maigres comme des clous ?

Comme j'étais de plus en plus ivre, une explication fulgurante traversa mon esprit, un lien entre les régimes amincissants et la disparition des abeilles du globe terrestre qui me parut limpide sur le moment.

— C'est quand même dingue, dis-je en refrénant un hoquet d'ivresse, que les populations d'abeilles diminuent depuis le milieu des années quatre-vingt-dix, au même moment qu'apparaît l'obsession de la maigreur chez les populations féminines.

— Euh… je ne sais pas, répondit Georgia un peu perplexe.

— C'est clair, dis-je. La disparition de l'espèce animale évoque la disparition des attributs de l'espèce féminine dont vous parlez.

Pour la seconde fois, mon coude ripa du bar dans un mouvement doublement ridicule car je posai mes lèvres à côté de mon verre. François et Georgia firent comme s'ils n'avaient rien remarqué, ce qui était gentil de leur part, je me sentis ainsi un peu moins honteuse. Je savais qu'il fallait à présent que je me taise et que je regarde Georgia.

— Je vous pose une question, nous dit Georgia, qu'est-ce qu'un beau corps selon vous ? demanda-t-elle, toujours patiente.

François et moi restâmes muets.

— Si vous êtes honnêtes, continua Georgia, si

vous êtes sincères envers vous-mêmes, la première image qui s'impose à vous, l'image d'un beau corps de femme : c'est un corps maigre. Disons la vérité. Nous cherchons toutes à réduire le moelleux de nos cuisses, à faire fondre nos hanches, et nos poitrines disparaissent peu à peu dans ce grand effacement des lignes. Nous suivons cette pratique drastique qui consiste à lutter contre les signes extérieurs féminins. Autrefois, poursuivit Georgia qui nous avait pendus à ses lèvres, l'homme possédait le pouvoir d'achat. Il achetait une robe pour sa femme, avec l'idée qu'à travers la robe, dans un processus de transfert, il couchait avec la fille de la publicité qui portait la robe. Souvenez-vous des mannequins cabines à la fin des années cinquante, des femmes à la taille fine, certes, mais aux hanches dessinées et aux poitrines généreuses. Songez à présent aux mannequins d'aujourd'hui. Elles ont des corps décharnés, plats. Or que s'est-il passé entre les deux ? L'indépendance de la femme. La femme possède son propre compte en banque, son propre argent, et peut donc assouvir ses propres pulsions d'achat. Elle achète ses robes elle-même. C'est à elle que le publicitaire doit plaire avant tout – et non plus à son mari. Changement de règne. Il faut donc que s'opère un transfert sexuel. Le désir de l'acheteuse, son désir sexuel, primaire, pulsionnel, doit fonctionner sur la fille qui porte la robe – car c'est la pulsion sexuelle qui provoque la pulsion d'achat. Il faut donc que la femme – ou plus précisément l'acheteuse – soit physiquement attirée par le mannequin de la publicité, comme l'était l'homme autrefois. Afin que, dans un deuxième temps, elle veuille acquérir les habits qu'elle porte. Vous comprendrez donc que ces silhouettes longilignes sont conçues pour nous exciter sexuellement, nous, les femmes. Il s'agit d'effacer les signes extérieurs de féminité qui pourraient, chez les non homosexuelles d'entre nous, être un repoussoir, autrement dit, plus le corps du mannequin s'éloigne du corps de la femme, plus l'œil de l'acheteuse est séduit. Prenez Kate Moss : la même beauté, le même visage de petit chat sauvage, mais mettez-lui une belle paire de seins avec de larges tétons roses qui pointent, un bon 105D à la Marilyn Monroe, elle n'en serait pas moins belle, bien au contraire. En revanche, les femmes la trouveraient moins attirante. Or, toute la question est de savoir quel jean nous aurons envie d'acheter. Celui que porte Kate Moss ou celui de Marilyn Monroe ?

Je n'avais pas tout compris du raisonnement de Georgia, mais une chose était sûre, j'aimais la regarder parler. Mon cœur se mit à battre, l'alcool me rendait téméraire, inspirée soudain par une hardiesse irréfléchie, je lui demandai de la photographier. Contre toute attente, elle accepta immédiatement. Avant qu'elle ne change d'avis, je sortis sur-le-champ de l'hôtel pour aller prendre mon Canon qui était resté dans le coffre. L'air frais me donna du courage pour aller à la recherche de ma voiture, car je n'avais plus la moindre idée de l'endroit où je l'avais garée. Les rues tournaient tout autour de moi, je marchais comme une hébétée dans un quartier que je ne connaissais pas, cela ressemblait à un mauvais rêve, mais soudain, par miracle, ma voiture apparut dans une rue dont je ne me souvenais plus du tout, c'était bien simple, j'avais l'impression de voir cette rue pour la première fois de ma vie. J'étais bien plus ivre que je ne le pensais, j'aurais dû prendre un taxi et rentrer chez moi pour m'allonger, mais en cet instant, faire un portrait de Georgia était devenu la chose la plus importante de mon existence. En vitesse, je saisis mon appareil dans le coffre, puis je me mis à courir, pour rattraper le retard que j'avais pris en cherchant la voiture dans une mauvaise direction. Au bout de quelques mètres, mes pieds butèrent sur une marche que je n'avais pas vue, tout mon corps se précipita vers l'avant, j'eus l'impression que la chute se passait au ralenti, je ressentais chaque mouvement de mon corps se rapprochant puis percutant violemment le trottoir, mon Canon valdingua sur quelques mètres, je parvins à me relever pour le rattraper de justesse avant qu'il ne termine sa course dans le caniveau. J'étais tombée si bas que je ne pouvais que me relever à présent. Mon genou avait pris un sale coup, je dus terminer ma course à cloche-pied. À ce moment-là, je ne le savais pas, je n'en avais pas conscience évidemment, mais Georgia avait commencé à exercer son terrifiant pouvoir sur moi : celui de me faire ramper derrière elle. D'ailleurs, elle n'était plus au bar de l'hôtel quand j'arrivai.

— Elle vous attend dans sa chambre, me dit François comme si tout était normal.

Georgia m'ouvrit la porte, les cheveux défaits, elle s'était remaquillée avec un peu de fond de teint et du mascara. Elle se tenait debout devant moi et je la regardais, ébahie, comme si elle me manquait déjà. Pour cacher mon trouble, je filai aux toilettes où je découvris mon genou ensanglanté – heureusement l'ivresse m'avait ôté toute sensation de douleur. Je tamponnai le sang avec du papier hygiénique car je ne voulais rien laisser paraître de mes problèmes personnels, Georgia semblait avoir hâte que la séance commence et je ne voulais pas la faire attendre. Je lui proposai de s'asseoir face à moi, elle regarda mon appareil photo, très à l'aise, comme si l'objectif ne l'impressionnait pas du tout. Pendant les réglages, je lui proposai de regarder tantôt vers la fenêtre, tantôt vers mon épaule et elle s'exécutait, avec un mélange de sérieux et d'amusement. J'avais la sensation d'être privilégiée, car Georgia n'était pas le genre de femme à obéir ni à se laisser facilement approcher. Il me sembla que, si j'avais passé ma vie à vouloir devenir photographe, si cette vocation était née un jour en moi, c'était dans l'unique but de vivre cet instant-là, de pouvoir un jour rencontrer Georgia. Avec elle, tout devenait désormais possible.

Mon appareil se mit à faire des bruits inquiétants, il émettait des sons discordants, différents d'un déclenchement à l'autre, comme si l'objectif s'était coincé ou la lentille fissurée. Mon Canon A-1 datait du début des années soixante-dix et les pièces détachées étaient aujourd'hui presque impossibles à trouver. De même que je ne voulais pas ressentir la douleur à mon genou, je décidai de ne songer ni au coût, ni au temps de réparation de mon appareil. De toute façon, dès que la première pellicule fut terminée, Georgia se leva et attrapa le bas de mon visage avec sa main pour poser sa bouche contre la mienne. Sa langue était toute petite, je n'en avais jamais enlacé d'aussi minuscule. Cette femme, qui ne ressemblait à personne, était en train de m'embrasser, je n'en revenais pas, je me laissais lentement déshabiller, l'amour fut très rapide. Georgia avait un grain de peau épais, qui se hérissait de mille picots quand elle frissonnait. Je n'avais jamais vu de membrane si vivante, son ventre avait la blancheur d'un ventre de requin, en revanche, ses cuisses et ses fesses rougissaient jusqu'à devenir pourpres. Son sexe que je redoutais, comme un trait de caractère qui me ressemble peut m'inspirer de l'écœurement, me plut au contraire. Il me ravit, avec sa chair pâle, rose et beige de mollusque, virant à la prune rouge. Je goûtais à la femme, c'est-à-dire au titillement de la douceur, cette caresse féminine qui jamais ne durcit, jamais ne perce, mais qui sournoisement finit par faire jouir, dans un plaisir moiré. Les fesses amollies et les seins moites, je m'apprêtais à m'endormir dans des draps qui avaient l'odeur du luxe, contre le doux visage de Georgia, le beau visage de la richesse. Mais cette femme n'avait jamais sommeil. Alors elle attrapa un cendrier sur la table de chevet, alluma une cigarette, et m'expliqua pourquoi nous nous trouvions dans cette chambre et pourquoi nous allions dormir précisément dans ce lit.

Lorsque mon oncle André s'est marié, commença-t-elle en tirant longuement sur sa cigarette, il avait cinquante-huit ans. Aucun membre de la famille ne fut invité à la cérémonie de mariage. Pas même moi, pourtant sa filleule adorée. Mais quelques semaines plus tard, mon oncle m'offrit un billet d'avion afin que je le rejoigne en Italie. Il passait ses noces sur l'île de Capri et me voulait à ses côtés. Avant mon départ, ma mère et ses sœurs s'étaient réunies pour un conseil familial. Je fus chargée d'observer avec attention la mariée et de rendre compte de tous ses faits et gestes. Mais je rentrai à Paris bredouille. Ma nouvelle tante, Zelda, n'était pas sortie de sa chambre. Sauf une fois, elle passa devant moi sans me regarder, sous une voilette noire qui seyait mieux à un enterrement qu'à une lune de miel. Ma mère était furieuse de m'avoir fait rater une semaine de classe pour rien.

L'année suivante, je rencontrai enfin ma tante Zelda et voici la première phrase qu'elle prononça lorsque je fis sa connaissance : « Je suis désolée pour Capri, je ne voulais pas te fuir, mais le visage d'une jeune mariée n'est pas un modèle qu'on veut présenter à une adolescente. Ma chérie, crois-moi, ce n'est pas la gloire qui est le deuil éclatant du bonheur. Mais bien le mariage. » Son accent laissait entendre qu'elle était étrangère mais je peux vous dire que ma tante parlait mieux le français que vous et moi. Et bien d'autres langues, car elle avait habité le monde et vécu plusieurs vies.

Mon oncle André, le petit dernier de la famille né après cinq filles, avait fait fortune dans le recyclage des métaux. Il avait travaillé durement, préoccupé par ses affaires, jamais par les femmes – on le soupçonnait même d'avoir des mœurs mauvaises. Mais sa vie changea brutalement quand il rencontra Zelda – car personne ne peut faire entrer Zelda dans sa vie sans que celle-ci en soit chamboulée.

Pendant une dizaine d'années, j'ai déjeuné avec la femme de mon oncle plusieurs fois par an, pour mon anniversaire, à Noël ou à Pâques. À la fin du mois de mai, Zelda m'invitait sans occasion particulière. Je comprends aujourd'hui que l'approche de la fête des mères, pour cette femme qui n'avait pas eu d'enfant, devait lui donner l'envie de me voir. D'ailleurs, tante Zelda m'appelait toujours : ma fille.

« Ma fille, me disait-elle, je ne te ferai jamais de cadeau. Tu n'auras de moi pas une robe, pas un chèque, pas même une boîte de chocolats à Noël. J'ai bien trop peur que ta mère et tes tantes ne cancanent et ne m'accusent d'acheter ton affection. En revanche, ma chérie, je vais te donner des conseils. »

À chacun de nos rendez-vous, ma tante Zelda me faisait ses recommandations, que je devais retenir pour le restant de mes jours. J'aurais dû prendre des notes, les consigner dans des carnets, car elles ne me sont malheureusement pas toutes restées en tête. Mais je me souviens de quelques-unes…

« Les hommes sont des enfants, me disait-elle, si tu ne leur demandes rien, ils te donneront tout ; mais ne t'avise jamais de leur demander quoi que ce soit – pas même l'heure. Tu ne pourras être que déçue. Ne reproche rien à personne, ni à un homme, ni à une femme, ni à qui que ce soit avec qui tu décides d'avoir un commerce agréable. Encore une fois, c'est ta responsabilité de faire en sorte que les autres ne te déçoivent pas. En revanche, si un jour tu as besoin de te débarrasser d'un homme, réprimande-le. Loin de se corriger, loin de vouloir s'améliorer ou de s'amender, tu le verras s'enfuir aussi sûrement que le soleil se lève tous les matins. Ne mens pas, ne mens jamais – épargne-toi l'inconfort qui consiste à devoir se souvenir de ce que tu as dit la veille. Mais sache une chose, ma chérie. Parfois, tu voudras mentir, pour plaire. Parce que tu croiras que ton mensonge est plus séduisant que la vérité. Mais tu seras surprise de constater que la vérité a beaucoup plus de charme qu'on ne croit.

N'aie de comptes à rendre à personne sauf à toi-même. Ne t'endors jamais sans t'être démaquillée et fuis le soleil comme ton ennemi. Sois respectueuse avec tout le monde mais méfie-toi des gens qui aiment le pouvoir. Si tu veux garder tes amis, ne les ennuie ni avec tes soucis de santé, ni avec tes récits de voyage, ni avec tes souvenirs de jeunesse, ni avec les prouesses de tes enfants. Fais ce que tu veux, mélange le bleu marine et le noir, le rose et l'orange, mais ne sois pas à la mode. Ne tombe jamais amoureuse, penche-toi sur l'amour. N'accepte pas de rendez-vous, tu n'as pas à te rendre. Ne porte pas de chaussures qui dévoilent tes pieds. Profite aujourd'hui du visage que tu regretteras demain, ne parle pas de tes défauts, tu les feras exister, ne dis jamais aux autres que tu te sens vieille, cela te vieillira. Ne crois pas que deux fois plus soit deux fois mieux. Ne trempe ni tartine, ni biscuit dans ton thé – c'est dégoûtant. N'essaye pas de rattraper un amour qui s'en va. Sois rapide, parle peu – et seulement pour divertir les gens ou les faire rire. Une belle fille comme toi ne doit pas se mettre en valeur pour autre chose que sa beauté, laisse l'intelligence de côté, garde-la pour toi – sans quoi tu n'auras jamais d'homme à ton bras. Et je vais te donner un dernier conseil : ton pire ennemi est celui qui pense exactement la même chose que toi, mais qui a une raison de ne pas le dire. »

Nous avions l'habitude de nous retrouver chez elle, au dernier étage d'un immeuble cossu donnant sur la place Vendôme. Mais un soir, étrangement, pour la première fois, tante Zelda me donna rendez-vous en face de chez elle, dans ce palace qui se trouvait de l'autre côté de la rue.

Je suis donc arrivée dans le bar où nous nous trouvions tout à l'heure. Zelda, qui ne buvait jamais d'alcool, avait commandé deux *Heaven's flower*, des boissons plus transparentes que de l'eau, aux rondelles de concombre, rehaussées de petites fleurs fuchsia qui lui rappelaient, disait-elle, un jardin à Miami où elle avait passé des journées entières à pleurer.

Lorsque je lui demandai pourquoi elle m'avait invitée à la rejoindre dans cet hôtel : « Ma fille, me répondit-elle, lorsque je suis assise dans mon salon, j'aperçois des couples ouvrir les fenêtres qui sont en face, sur les terrasses de ce palace. Et ce petit jeu dure depuis des années. L'autre soir encore, j'ai vu deux jeunes gens qui riaient sur leur balcon. Le jeune homme avait le torse nu et la jeune femme, une chemise de nuit en soie bleu marine. Ils avaient l'air de s'amuser si fort, dans leur chambre sous les toits, que j'ai eu envie d'être à leur place. Vois-tu, ce soir, je n'avais pas envie de dormir dans mon lit. Je

87

voulais être loin de chez moi. Et n'est-on jamais si loin que lorsqu'on est juste à côté ? Je ne t'ai jamais parlé de mon enfance, mais sache que j'ai habité deux ans à Paris, ma mère fut ouvrière de maisons de couture très prestigieuses – elle avait commencé dans ce quartier, chez Jeanne Paquin.

Pendant les vacances elle organisait pour moi "les vacances à Paris". Nous voyagions sur place, mais quel voyage ! Elle réservait une chambre d'hôtel pour quelques nuits, de l'autre côté de la Seine. Elle nous payait le voyage en taxi – qui ne durait pas plus de quinze minutes. Nous dormions dans le même lit et j'adorais sentir son corps chaud contre le mien. Ma fille, ce sont les plus belles vacances de ma vie. Et pourtant, j'ai connu des îles privées, des yachts d'armateurs, des palaces italiens, des séjours à la neige et le soleil en hiver. Mais qu'importe la destination, il faut voyager avec des gens qui ont l'art du voyage et ma mère était une femme remarquable pour ces choses-là. Voilà pourquoi, ma petite chérie, j'ai loué cette nuit la suite 639 sous les toits. Ton oncle est à Genève, donc tu vas m'accompagner, car je déteste m'endormir seule dans une chambre que je ne connais pas. »

Nous avons pris l'ascenseur, puis traversé ce long couloir du sixième étage, il embaumait le même parfum que ce soir, un parfum de cuir de Russie, d'oranges de Floride et de patchouli. Nous sommes entrées dans cette chambre sous

88

les toits, comme un nid aux couleurs de champagne et aux murs dorés.

— Elle est exactement comme je l'avais imaginée, me dit Zelda.

Ma tante ouvrit la fenêtre et le parfum sucré du chèvrefeuille qui fleurissait sur le balcon nous envahit.

— Regarde en face, c'est mon salon ! J'aimerais que ton oncle soit rentré de Genève et qu'il me voie, là, se demandant qui est cette femme qui ressemble à la sienne, dans la chambre d'un hôtel de luxe.

Puis ma tante Zelda s'allongea sur le lit en me demandant de lui ôter ses chaussures. Un bruit me fit sursauter, celui de la bouteille de champagne qui se heurtait contre l'acier du seau parce que les glaçons étaient en train de fondre.

— Écoute, *Honey*, me dit-elle d'un air las, ce conte que me racontait ma mère lorsque j'étais petite. Assieds-toi.

Et Zelda commença son histoire, qui commençait comme tous les contes par il était une fois.

« Il était une fois un prince de mon pays qui s'appelait Farouk. Il avait du charme. De la fortune. Et un certain don pour le plaisir, sans lequel ces deux qualités sont inutiles. Un jour, tandis qu'il se promenait sur la plage, Farouk aperçut la plus belle femme du monde, une femme si belle que quiconque l'aperçoit veut la suivre. À sa vue, son sang fouetta sa gorge. Car cette belle femme qui sortait de l'eau et qui le regardait, c'était la mort. Elle le fixait de ses yeux perçants, mais avec un grand étonnement. Farouk savait qu'elle était venue pour le chercher, selon l'adage de son pays : "quiconque croise la mort dans la journée, ne verra pas le soleil se lever." Alors il prit le meilleur cheval de son écurie et partit le plus loin possible. Il chevaucha, chevaucha à travers les plaines, sans relâche, jusqu'à ce que son cheval perde haleine, jusqu'à ce que la bête meure de fatigue entre ses jambes. Le prince le laissa sans sépulture et continua à pied, au milieu d'une forêt, ne sachant pas où il se trouvait, ni dans quel pays, ni dans quelle région, il n'avait pas croisé une seule âme, pas un seul être, pas même un animal. Toute la nuit, il s'enfonça dans la forêt, fuyant la mort, espérant qu'elle ne le rattraperait pas. Il marcha toute la nuit jusqu'au petit matin. Voyant que le jour allait poindre à travers les cimes des arbres, que le silence de la nuit bruissait peu à peu du chant de l'aurore, le prince se crut sauvé. Le jour se levait et Farouk respirait toujours, il avait réussi à conjurer le sort. Ivre de fatigue, il s'allongea près d'un arbre et s'endormit.

Mais à son réveil, la mort était assise à ses côtés. Tranquillement, elle le regardait dormir, sans le déranger.

— Bonjour, mon Prince, dit la belle femme. Je suis venue te chercher, le jour pour toi est arrivé.

Le prince sut qu'il n'y avait plus rien à faire, sinon la suivre.

— Je voudrais te poser une question avant que tu m'emportes, demanda Farouk.

— Je t'écoute, répondit la mort.

— Pourquoi m'as-tu regardé avec surprise ? Et pourquoi ne m'as-tu pas emporté hier soir ?

— En effet, j'étais étonnée de te croiser sur la plage car j'avais rendez-vous avec toi le jour suivant. Et au fin fond d'une forêt. »

Le lendemain matin, je me réveillai dans une chambre de femme et c'était délicieux. J'eus cette sensation d'allégresse, comme lorsqu'on regarde le matin par la fenêtre, ébloui de se rendre compte qu'il a neigé pendant la nuit. Le parfum de Georgia s'était répandu sur les chaises, sur les bouquets de fleurs, sur la moquette, sur les rideaux, sur les habits chiffonnés par terre, nous recouvrant tous tel un vernis. Le monde de Georgia s'était allongé sur moi, il y avait pris ses quartiers de vacances. Dans l'air, flottait l'odeur d'une promenade en été sur les bords de la Seine, juste après l'ondée. Ma peau et mes cheveux fondaient dans les coussins et les draps de soie. En me réveillant seule dans le lit, j'eus peur qu'elle ne soit partie pendant mon sommeil, puis le bruit de l'eau dans la salle de bains m'apaisa. Elle était là. Nous allions traîner dans les draps toute la matinée, prendre des bains de mousse jusqu'à l'heure du déjeuner, parler, parler et encore parler. Je voulais tout savoir d'elle, connaître sa vie à Delhi, les artisans qu'elle préférait, sa grand-mère italienne, ses souvenirs d'enfance, le métier de ses parents, son premier amour. Tout. Lorsque Georgia sortit de la salle de bains, je la trouvai éblouissante. J'aimais ses manières de femme, ce geste de secouer la tête avant de poser à son oreille le combiné du téléphone, afin de repousser une mèche de cheveux. J'aimais aussi sa façon de remettre minutieusement sa montre tout en passant commande au room service, le téléphone coincé dans son épaule. Elle demanda un petit déjeuner pour moi. Georgia savait exactement ce qu'il fallait choisir, ce qu'il fallait que je mange, et puis les mots à utiliser, dans quel ordre les agencer pour bien se faire comprendre : Georgia savait commander. Sa journée commençait, se dégageait d'elle une puissance que j'avais connue la veille dans ses bras.

— Je cherche encore des femmes, pour mon exposition, lui dis-je. Tu me donnerais le nom d'une femme que tu admires ?

— Oui, répondit-elle très naturellement comme si elle s'attendait à cette question. Véronique. Elle tient un restaurant à Venise, « Il Francese ». C'est la femme que j'admire le plus au monde, dit-elle en boutonnant une chemise en soie crème.

Je fus surprise qu'elle réponde sans hésiter, tout en enfilant sa veste de tailleur, avant de me jeter à la figure :

— Je te dis pas au revoir, je déteste ça ! La

chambre sera faite dans trente minutes, si tu peux être partie à ce moment-là.

Ce fut comme recevoir deux gifles l'une après l'autre. L'idée qu'il existât une femme qu'elle admirait me rendit immédiatement jalouse – moi qui n'avais jamais ressenti le moindre désir de possession d'un être, de ma vie entière. Et cette façon de me congédier, de me demander de partir le plus rapidement possible, sans me donner un rendez-vous. Puis elle eut un geste que je détestai, qu'elle fit pour me dire au revoir, un geste qui m'envoyait un baiser d'une main et fermait la porte de l'autre. Il fallut pourtant que je m'exécute.

En posant mon pied par terre, un élancement dans le genou me fit plier la jambe, celui-ci était devenu bleu, gonflé et tuméfié. Cette douleur me rappela les souvenirs de la veille, la course absurde dans la rue, la chute de mon Canon sur le trottoir et les bruits étranges qu'il faisait quand je l'enclenchais. Je n'avais pas le courage de prendre une douche, de peur que l'eau et le savon ne brûlent ma peau écorchée. Je remis ma culotte sale de la veille. Mon jean froid semblait avoir rétréci pendant la nuit, le frottement du tissu contre la blessure était particulièrement pénible. En enfilant mes chaussures qui me faisaient mal aux pieds, j'eus l'impression de rechausser ma vie – une vie qui s'était arrêtée la veille, une vie dans laquelle Georgia n'existait pas encore.

Dans les couloirs interminables de l'hôtel, je boitais comme si ma jambe gauche mesurait cinq centimètres de moins que la droite, à la recherche d'un ascenseur. Les femmes de chambre qui passaient avec leurs chariots me renseignèrent tout à fait courtoisement, malgré ma démarche et mon allure de détraquée. J'eus peur qu'elles ne se rendent compte, en voyant mon sac bourré à craquer, que j'avais dépouillé la salle de bains de l'intégralité des produits de douche jusqu'aux cotons-tiges dans leurs petits sachets transparents et même la charlotte en plastique qui ne sert jamais. Avant de partir, je laissai au concierge un mot avec mon numéro de téléphone, en lui demandant, bien trois ou quatre fois, de me promettre qu'il le donnerait à Georgia.

— C'est vraiment très important, ajoutai-je en insistant lourdement.

— Évidemment, Madame, je n'y manquerai pas.

Assise dans ma voiture, j'inspectai mon appareil photo, pour constater l'étendue des dégâts. En dévissant l'objectif, je vis que le miroir était en bon état, sans rayures ni traces. Mais il y avait toujours ce bruit bizarre au moment du déclenchement. Le levier d'armement s'était un peu décalé, il ne rentrait plus très bien dans son logement. Alors je fis un geste irréfléchi, une erreur de débutante : j'ouvris l'appareil, comme si j'avais oublié que la pellicule qui se trouvait à l'intérieur serait immédiatement voilée. Tous les portraits que j'avais pris de Georgia s'effacèrent dans la seconde, évaporés dans les airs. Effondrée, je croisai mes bras sur le volant, puis j'y déposai ma tête, ma lourde tête de linotte, qui déclencha le klaxon et me fit sursauter de peur. Je restai dans cette position un long moment, jusqu'à ce qu'un passant s'arrête pour me proposer de l'aide.

Jenane

— On dirait que ton genou accouche d'une pomme de terre, constata Julie en le voyant prodigieusement gonflé.

Elle appela l'infirmière qui fit venir la psychiatre de garde, le docteur Petton, une jeune femme de trente ans à peine, les cheveux en pagaille et les yeux cernés comme des cocards. Ses souvenirs d'internat étaient encore frais, elle observa mon genou et annonça un épanchement liquidien, mais rien de grave. L'infirmière me fit un glaçage, pour réduire l'inflammation et dégonfler le genou, puis me gava d'antalgiques. Julie était ravie que le personnel soignant de Sainte-Anne se penche sur mon cas.

— Faites-lui le test de Rorschach, dit-elle au psychiatre en souriant. À mon avis, sa tête est dans le même état que le genou !

Je venais de raconter ma nuit à Julie, pour la simple et bonne raison que les amoureux ne savent parler d'autre chose que de l'objet de leur obsession. Elle avait levé les yeux au ciel en écoutant mon récit, me reprochant de toujours chercher à faire mon originale. Quand le gynécée des infirmières affairées fut parti, Julie décida de raconter au docteur Petton son rêve du matin.

— Vous tenez vraiment à le raconter devant votre amie ? demanda la psychiatre en prenant un air sceptique.

Moi je n'y tenais pas particulièrement mais personne ne me demandait mon avis. J'avais plutôt envie de rentrer chez moi, parce que les antalgiques commençaient leur effet apaisant et que j'avais très sommeil – mais vraisemblablement, ma présence pendant le récit du rêve de Julie représentait un enjeu qui me dépassait. Quelque chose se crispa, comme une lutte sourde entre le médecin et son patient, puis Julie me demanda d'écouter ce qu'elle avait à dire.

— Parce que cela concerne toutes les femmes, vous comprenez ? dit-elle au docteur Petton avec cette intonation déconcertante qu'elle avait depuis son arrivée à l'hôpital – mais moi je connaissais ma Julie, je savais que c'était un simple moment d'exaltation passagère, provoquée sans doute par quelques médicaments mal dosés.

Tout commençait à quatre pattes sur un lit. Julie était nue, et dans cette position donnait le sein à son bébé, telle la louve romaine. L'enfant tirait goulûment sur son téton, ce qui était douloureux, à cause des grandes dents pointues qui avaient poussé dans sa bouche. Son bébé, d'ailleurs, n'était pas vraiment un bébé, mais une sorte d'otarie à moustache, avec des dents de vampire. Thierry entrait alors dans la chambre.

— Vous savez ce qui me rendait le plus triste dans mon rêve ?

— Dites-le-nous, fit la psychiatre.

— Que mon mari se rende compte que je n'avais pas eu le temps de m'épiler.

— Nous vous écoutons, fit la psychiatre pour l'encourager.

— Il me semble, dit Julie en gonflant ses poumons pour prendre son élan, il me semble que les poils, tout comme les sécrétions, faisaient autrefois partie du mystère féminin. Or aujourd'hui, les femmes cherchent à devenir lisses et inodores, à coups de déodorants et d'épilations définitives. Pour moi, ajouta Julie, l'idée que mon mari puisse voir mes poils est devenue une source d'angoisse quasi quotidienne car j'ai peur de le dégoûter. Ce qui est bizarre, parce que depuis la nuit des temps nos poils ont toujours excité les hommes. Et soudain, on ne veut plus en entendre parler. Que s'est-il passé ? répéta-t-elle trois ou quatre fois, en nous regardant, la psychiatre et moi, comme si nous étions responsables de la situation. Puis, elle prit un petit carnet, posé sur la table de chevet, en nous expliquant qu'elle avait pris des notes. Le docteur hocha la tête, comme s'il s'agissait de quelque chose dont elles étaient convenues. « De génération en génération, nous lut Julie, grâce à des pratiques dépilatoires de plus en plus drastiques, au plus loin des zones interfessières, il est possible que nos poils, découragés par une existence digne de Sisyphe, disparaissent définitivement de nos anus. De même que nos orteils se sont atrophiés depuis que nous portons des chaussures, réussirons-nous dans le futur à produire une espèce humaine complètement lisse. Or au même moment, la barbe fait son grand retour chez l'homme. Serait-ce ce qu'on appelle les vases communicants ? », conclut Julie dans sa transe, puis elle reprit son souffle tout en essayant de déchiffrer son écriture, qui n'était pas du tout celle que je lui connaissais. Julie avait toujours eu une graphie ordonnée, arrondie, faite de liés et déliés. Là, j'apercevais des lettres qui partaient dans tous les sens sans respect des proportions.

— C'est passionnant, dit le docteur Petton, mais vous êtes un peu fatiguée à présent, on va vous laisser vous reposer. Nous reprendrons ce sujet dans l'après-midi. Continuez à prendre des notes.

Le docteur Petton me raccompagna jusqu'à la sortie, pour être sûre que mon genou me permette de marcher et conduire. Je lui posai des questions sur Julie, sur son état de santé, et elle fut très encourageante. Selon elle, Julie souffrait en premier lieu d'une immense fatigue physique, avant d'être une fatigue psychologique. Elle avait besoin de se reposer, elle devait apprendre à s'arrêter pour ménager son corps. La crise délirante qu'elle avait traversée était liée à une sorte de surchauffe. Une fois que son corps aurait repris des forces, les choses pourraient se remettre en place dans sa tête.

— Vous savez, dit le docteur Petton, je vois passer dans cet hôpital beaucoup de femmes obsédées par l'idée d'atteindre un idéal. Prêtes à se tuer pour cela. La plupart sont anorexiques, ce qui n'est pas le cas de Julie. Mais elle en avait le profil. Beaucoup de jeunes femmes arrêtent de se nourrir, pour atteindre l'idée d'un corps parfait, c'est-à-dire d'un corps qui n'existe pas. Je vois là trois possibilités. La première hypothèse est que ces jeunes femmes cherchent à ressembler à des jeunes filles pré-pubères, à la petite fille qu'elles ne seront plus. Deuxième hypothèse : elles cherchent à ressembler à des hommes, c'est-à-dire à la seule chose qu'elles ne peuvent pas être. Troisième hypothèse : elles cherchent à ressembler à des cadavres, précipitant les jeunes filles anorexiques au bord de la mort. Et le point commun de ces trois hypothèses, ajouta le médecin, est selon moi l'exclusion de la maternité. Nous sommes dans une société qui déteste les mères, qui déteste leurs corps fatigués par les grossesses, qui répugne à voir ces ventres qui ont donné la vie. Si vous regardez bien, vous constaterez que l'idéal de la femme d'aujourd'hui doit s'éloigner le plus possible de l'évocation de la mère. Allez, je ne sais pourquoi je vous raconte tout ça… bonne continuation et si vous avez encore mal au genou, n'hésitez pas à revenir nous voir !

En rentrant à la maison, je trouvai un excellent prétexte pour rappeler Georgia la première. Il fallait bien faire contre mauvaise fortune bon cœur et mon erreur de manipulation sur la pellicule me donnait l'occasion de la revoir au plus vite afin de recommencer notre séance de portraits.

— Bonjour, je voudrais joindre la chambre 639.

— Je suis désolé mais la cliente est partie.

— Ah… bon… mais… j'avais laissé un mot pour elle…

— Dans ce cas, on a dû le lui remettre.

— Vous pourriez me donner son nom de famille s'il vous plaît ?

— Je suis désolé, nous ne pouvons pas communiquer des informations sur nos clients, au revoir Madame, s'excusa le réceptionniste de l'hôtel avant de me raccrocher au nez.

Je restai sans bouger pendant un long moment, les yeux rivés sur mon téléphone, comme s'il allait me donner une explication – ou me remonter le

moral. Puis je me raisonnai. Georgia allait sûrement m'appeler d'ici la fin de la journée, nous
avions tant de choses à nous dire. Je me forçai à
éteindre mon appareil, afin de lutter contre la
tyrannie de l'attente, mais au bout de cinq
minutes, je le rallumai en tremblant de peur
d'avoir manqué l'appel de Georgia. Je ne ressentais ni tristesse, ni chagrin, ni douleur. Mais dès
que j'envisageais la possibilité de ne plus jamais
revoir son visage, une envie de dormir s'abattait
sur moi, à laquelle il m'était impossible de résister.

Quelques heures plus tard, je me réveillai dans
mon lit comme au beau milieu d'une vaisselle
brisée, en mille morceaux, écrasée par le poids
d'une immense fatigue. Je me traînai péniblement du lit jusqu'au canapé, et ce périple fut la
principale activité de la journée. De toute façon,
faire des choses n'avait plus aucun sens. Tant que
Georgia ne téléphonerait pas, je me vautrerais
dans la bêtise de l'amour, dans ce pays idiot où
tout n'est que cliché, où les lieux communs vous
assaillent et vous rendent heureux. Allongée
dans mon salon, les yeux fixés sur le plafond,
j'imaginais qu'un jour Georgia viendrait me chercher, que sa douce main parfumée à la crème de
huit heures d'Elizabeth Arden prendrait la
mienne, pour m'emmener siroter des cocktails
bicolores sur une plage de Copacabana en
maillot de bain fluorescent, je voulais que nos
jambes s'allongent et que nos cuisses deviennent

dorées, je voulais que nos cheveux poussent et sentir leurs pointes, lourdes d'eau de mer, goutter sur nos dos, telles deux Bo Derek, sous le soleil du Brésil, nous allions nous aimer d'un amour terrible, extravagant et libre – en écoutant le *Boléro* de Ravel.

Quelques heures plus tard, mon fils et sa petite amie me trouvèrent allongée sur le canapé, la tête sous une pile de coussins.

— Qu'est-ce que tu as, maman, t'as l'air bizarre ?

— Oh non, c'est rien, un rhume...

Sylvain, qui a maintenant quatorze ans, termine sa seconde au lycée Louis-le-Grand. Depuis presque trois mois, il est toujours flanqué de sa petite amie, Lisette, une grande tige de quinze ans avec laquelle ils forment un drôle de couple que je surnomme « Sylvain et Sylvette ».

— Est-ce qu'on vous dit souvent que vous ressemblez à un frère et une sœur ?

— Arrête, maman... c'est une obsession chez toi...

— Et si ton père avait couché avec sa mère ? dis-je aux enfants pour les faire rire.

Sylvain me jeta son regard noir, manifestement il ne trouvait pas cela drôle, alors je lui demandai de penser à la tristesse qu'il ressentirait, le jour où on lui apprendrait ma mort. Mais bon, cela ne le fit pas rire non plus.

— Allez, lève-toi du canapé, on va être en retard, me dit mon fils avec une grande lassitude dans la voix.

Comme tous les premiers vendredis du mois, nous devions partir pour Orléans, dîner avec le père de Sylvain qui habite là-bas. Les enfants resteraient sur place pour passer le week-end avec lui.

J'ai rencontré Michel le jour de mes seize ans. Ce soir-là, il était venu avec sa femme et des amis assister au spectacle de mes parents, dont la tournée faisait escale dans la ville d'Orléans. C'était mon anniversaire et je m'ennuyais ferme au fond du cabaret où nous nous trouvions. Je ne savais pas quoi faire, ni comment fêter cet événement de mon adolescence, seize ans, ce n'est pas rien dans la vie d'une femme, alors pour me divertir et mettre un peu d'inattendu dans ma nouvelle existence, je fis de l'œil aux hommes parmi les spectateurs dans la salle – pour m'amuser, voir l'effet que cela faisait d'être une grande personne. Il fallait bien que quelque chose se passe. Au moment de commander des bières entre deux numéros de mes parents, tournant la tête pour attirer l'attention d'un serveur débordé, Michel fut surpris de tomber sur mes yeux aguicheurs qui s'accrochèrent à son regard. Je n'ai jamais su cligner de l'œil, donc Michel se demanda si j'avais un problème de lentille de contact ou si j'essayais vraiment de lui faire passer un message. Je sortis la langue pour être explicite. Après le spectacle, une fois les clients partis, l'équipe du cabaret ouvrit une bouteille de mousseux pour fêter mon anniversaire. Tandis que je soufflais de vagues bougies sur un Savane, Michel fit son entrée dans le bar, l'air complètement hagard. Il nous fit croire qu'il avait perdu son portefeuille, mensonge qu'il avait précédemment servi à sa femme pour revenir sur les lieux du crime. Son comportement général traduisait un tel état d'égarement et de désarroi que tout le monde s'affaira pour chercher l'hypothétique portefeuille. Tandis que nous étions tous les deux à quatre pattes pour fouiller les moindres recoins de la salle, Michel me fit savoir qu'il brûlait de me revoir. J'avais tout fraîchement seize ans et lui le double. Pourtant mes parents acceptèrent sans sourciller qu'il passe me chercher le lendemain pour me faire visiter Orléans et sa nouvelle pharmacie. Cela peut paraître étrange qu'un père et une mère se comportent avec autant de négligence vis-à-vis de leur enfant, mais il faut dire que mes parents, très préoccupés par leur carrière de comiques, me laissaient une grande liberté.

À cinq ans, en plein festival d'Avignon, je fis une fugue pour me rendre intéressante. Je me cachai dans la malle des costumes d'une troupe de théâtre amateur qui louait une maison avec mes parents. Ce matin-là, la troupe rentrait à Marseille, dans une camionnette qui contenait leurs décors, leurs accessoires et la malle des costumes. Lorsqu'ils déchargèrent, j'apparus comme un petit chat dans les chemises en dentelles des costumes de Marivaux. Les comédiens téléphonèrent à mes parents, sans doute paniqués, errant à ma recherche sur la place de l'Horloge… En vérité, ils ne s'étaient même pas aperçus de ma disparition. Une autre fois, à l'âge de douze ans, je m'enfuis du village de vacances où mes parents animaient les spectacles du soir. Mais je rentrai à pied au coucher du soleil, songeant qu'il faudrait au moins trois ou quatre jours pour qu'ils se rendent compte de mon absence.

Cet été-là, mes seins sortirent de mon buste d'un seul coup. Cette irruption volcanique intrigua beaucoup mes parents, qui surnommèrent mon sein droit Winston Churchill et mon sein gauche, le Général. Ils riaient beaucoup, faisant toutes sortes de blagues sur le rapprochement au sommet des deux côtés de la Manche, sur l'avancée des forces alliées grâce à la complicité des deux colosses. À seize ans, quand j'ai rencontré Michel, j'étais donc très autonome – et plutôt développée, physiquement. Lui était en couple depuis plusieurs années, mais n'avait pas d'enfant. Notre liaison provoqua un immense scandale dans sa famille, la mienne au contraire fut enchantée. Et moi je pus enfin me débarrasser de mes drôles de parents. Cette histoire hasardeuse aurait pu très mal finir, mais j'eus la chance que Michel soit l'homme le plus timide et le plus délicat de la ville d'Orléans.

Quelques semaines plus tard, je suis tombée enceinte et l'ancienne compagne de Michel aussi, cette dernière s'étant consolée entre les bras d'un ami présent le soir du spectacle. Depuis, ils vivent toujours ensemble et ont eu trois enfants – comme quoi, une simple sortie au théâtre peut bouleverser des vies entières. C'est toujours la même chose, on traîne les pieds pour se rendre quelque part où on n'a aucune envie d'aller, on imagine que ce sera un pensum, un calvaire, une soirée d'un ennui mortel, et au final on s'amuse beaucoup. Alors on finit par accepter les obligations ennuyeuses, en se disant secrètement qu'on va passer un bon moment – mais malheureusement, on s'embête comme prévu – et on s'en veut d'y avoir cru, expliquai-je à Sylvain et sa fiancée qui étaient assis côte à côte à l'arrière de la voiture, partageant chacun les écouteurs d'un vieux walkman à cassette et dode-linant de la tête en regardant le paysage.

— Je t'assure qu'avoir des parents comiques est une situation plutôt pénible, dis-je en repen-sant à ma vie lorsque j'avais le même âge qu'eux.

Le voyage en voiture fut joyeux. Pendant tout le trajet j'observai dans mon rétroviseur les deux adolescents, assis sur la banquette arrière, fasci-née par leur ressemblance physique, comme s'ils venaient de la même famille, d'un autre temps. C'était la première fois que mon fils présentait sa petite amie à son père, l'occasion était solen-nelle.

Sylvain et Lisette m'intriguent. Ensemble, ils ont développé un goût particulier pour le XXe siècle, dans une sorte de refus de la modernité. J'ai parfois l'impression que ces deux adolescents appartiennent à un monde bien plus vieux qu'eux, rien de nouveau ne semble pouvoir les intéresser. Ils écoutent les Beatles et François de Roubaix sur des disques vinyles, leur peintre préféré est David Hockney, ils se passionnent pour Hervé Guibert et ils placardent les murs de leurs chambres d'affiches des Kraftwerk. J'essaye de leur expliquer qu'à l'époque, c'était *nouveau*, et donc, s'ils veulent être *cool* comme l'étaient les gens qui écoutaient ces musiques dans les années quatre-vingt, ils feraient mieux de découvrir de nouveaux talents, être à la pointe dans leur propre temps. Mais ils s'en foutent et préfèrent acheter des vêtements usés qui ont été portés par des gens morts depuis longtemps. Je n'insiste pas, ils ne sont pas sur les réseaux sociaux, ils ne veulent pas d'un téléphone intelligent – de quoi me plaindrais-je ? Un jour mon fils m'expliqua sérieusement qu'il regrettait le temps des cabines téléphoniques. Au fond, ce qui me fait peur dans tout cela, c'est qu'ils ne sont pas armés pour le futur. Ils ne sont pas contemporains d'eux-mêmes – et je crains qu'un jour, quelque chose n'éclate, tout autour d'eux, quelque chose d'assourdissant. Et qu'ils n'entendront pas.

Michel habite le quartier Saint-Jacques, dans le sud de la ville, une petite maison très laide qui ressemble à une théière. Je déteste revenir là où j'ai vécu avec lui, les odeurs sont toujours les mêmes, les bibelots n'ont pas bougé, les meubles attendent patiemment de vieillir avec Michel. Pour me redonner du courage, je me rappelai que Georgia existait, qu'elle m'avait embrassée, puis entraînée dans ses draps, et tout le reste n'avait plus aucune importance. Je pouvais affronter ce lieu le cœur léger. Michel, lui, était absolument ravi de nous voir. Dans son canapé vert bouteille, assorti à son costume en velours côtelé écossais, il jubilait tant que sa moustache en frisait. Il était « enchanté » de nous recevoir et il avait cuisiné toute la journée.

— Goûtez-moi ces merveilles que j'ai ramenées d'Aix, nous dit-il. Les jaunes sont à l'anis et les verts au thym.

Michel me tendit une boîte de bonbons qui trônait sur la table basse en face de nous. Je remarquai alors qu'il portait une chevalière au petit doigt ainsi qu'un bracelet en cuir tressé autour du poignet, ce qui confirmait ce besoin bizarre, chez certains hommes qui approchent la cinquantaine, de soudain porter des bijoux.

— Je reviens tout de suite, je vais chercher l'apéritif, nous dit Michel, visiblement ému de rencontrer la fiancée de son fils, et donc il n'arrêtait pas de parler, tenant absolument à nous raconter tous les détails du week-end qu'il avait passé à Aix-en-Provence pour chiner de la vaisselle ancienne – qu'il collectionne, ainsi que les santons.

— Tu n'imagines pas les merveilles du musée Paul-Arbaud. Des faïences du XVIIIe, qui viennent de Moustiers, de Marseille, d'Apt, d'Avignon. Un tré-sor !

Michel ne pouvait pas savoir à quel point nous nous foutions de ses assiettes provençales. Ses pulsions pour les poteries étaient le fruit d'un transfert, car c'était sa première compagne qui lui avait refilé la maladie de la vaisselle artisanale. Quelques mois après leur séparation, Michel m'avoua que lui manquait, non pas son ancienne maison, ni le confort de sa vie réglée, mais la collection des faïences provençales de sa femme. Il la contemplait tous les soirs avant de s'endormir, ces objets l'apaisaient, l'aidaient à faire de beaux rêves. J'avais suggéré que cette absence, si cruelle à Michel, puisse être remplacée par une collection personnelle.

— Installe-toi confortablement. Retire ton manteau. Tu donnes toujours la sensation d'être sur le départ. C'est très désagréable, me dit-il.

Je l'avais gardé pour pouvoir, discrètement, attraper mon portable, au cas où Georgia chercherait à me joindre.

— J'ai très froid, mentis-je à Michel.

Puis, il nous expliqua qu'il invitait les enfants à passer un week-end dans la Forêt-Noire, afin de visiter des châteaux aux noms compliqués. Pendant qu'il nous vantait les beautés de la Bavière, je l'imaginais dans une minuscule salopette en peau de bête, un chapeau à plume sur la tête, tenant par la main une grosse dame blonde d'âge mûr, avec des tresses et beaucoup de rouge à lèvres, une Teutonne géante dans une robe de petite fille ajustée à sa stature, une maîtresse femme capable de prendre dans sa grande main les bourses de Michel, comme de petits grelots des montagnes, pour le faire yodler.

Je me demandai quel mystérieux caprice du destin avait accouplé des êtres aussi différents que Michel et moi, en me rappelant qu'à huit ans, une amie de mes parents, sociétaire de la Comédie-Française, m'avait raconté l'histoire suivante : avant de naître, les enfants choisissent la famille dans laquelle ils souhaitent vivre, de même que parfois, ils provoquent la rencontre de ceux qu'ils se sont choisis pour parents – cette histoire m'avait beaucoup marquée.

La sonnette de la porte d'entrée retentit. Nous regardâmes Michel en lui demandant s'il attendait quelqu'un. Ravi, il nous annonça qu'il avait invité à dîner sa seconde d'officine, Jenane.

La veille, nous avions brièvement parlé au téléphone pour préparer notre venue et il fut, comme toujours, très enthousiaste sur mon travail.

— Mais moi je connais une femme parfaite ! s'était-il exclamé.

— Ah bon ? avais-je répondu avec une pointe d'ironie.

— Jenane, qui travaille avec moi.

— Et pourquoi tu la trouves parfaite ?

— Je ne sais pas... ses mains... elles sont toujours impeccables, couvertes d'un vernis rouge, sur des ongles incroyablement solides.

— Mais à part sa manucure ?

— Elle tient la pharmacie avec fermeté, c'est simple, je lui laisse le soin de tout. J'aime son parfum, sa façon de s'habiller – toujours impeccable et inventive, ni trop classique, ni trop originale.

— Donc tu es en train de m'expliquer que la femme idéale c'est ton assistante... que tu payes ?

— Ohhh... tu la méprises, sous prétexte que tu es une artiste.

— Pas du tout, ce que je méprise, c'est ta vision de la femme.

— C'est parce que je ne sais pas bien m'exprimer. Mais je t'assure que cette femme n'est pas comme les autres...

Et pour me le prouver, il l'avait invitée à dîner.

Nous vîmes arriver une femme à l'allure souveraine, une femme d'une cinquantaine d'années avec une impressionnante masse de cheveux noirs et brillants, qui sentaient bon la laque d'autrefois, d'ailleurs elle avait dans ses manières quelque chose de désuet qui avait dû appartenir à sa mère. Sous son manteau en astrakan, on découvrait un tailleur en tweed rose, en revanche ses ongles étaient rouges, ovales et longs, comme des gouttes de sang.

Jenane est née au sud du Liban, dans la Phénicie méridionale. À sa naissance, ses parents avaient construit une villa, sur les hauteurs de Tyr – au milieu de ces collines luxuriantes, où se mêlent les chênes, les pins, les oliviers et les

113

lauriers. Son père avait transporté du Texas un véritable pur-sang qu'il avait offert à sa fille. Et pour sa femme, il avait fait venir d'Australie un couple de flamants roses, les seuls flamants roses de tout le Liban.

Jenane, fille unique et adorée, joue dans les ruines antiques de Tyr avec les autres enfants de son village, c'est un terrain de jeu minéral, la mer et le soleil se reflètent sur chaque pierre des murailles phéniciennes. Jenane est la princesse, les filles du village lui ramassent des bouquets de fleurs de Néroli en signe d'allégeance, les garçons courent en grappes autour d'elle, ils organisent des concours le long de l'hippodrome et Jenane lève ou baisse le pouce, elle décide toujours de tout pour les enfants de Tyr. Sa famille est propriétaire de plusieurs clubs chic sur la côte, ils vivent dans un monde cosmopolite et élégant. Les clients descendent en Cadillac pour passer quelques jours au bord de la mer.

Et puis la guerre éclate.

Jenane se cache chez sa tante, dans les montagnes qui surplombent Saida. Avec ses cousins et ses cousines, ce drôle de jeu dure longtemps – souvenirs de ces jours où l'excitation de l'école buissonnière se mêlait à la peur de la guerre.

Le jour où elle revient chez elle, Jenane court dans sa chambre pour vérifier que ses jouets n'ont pas été volés durant son absence. Non, tout est là. Mais de sa fenêtre, elle aperçoit quelque chose de noir dans la piscine, une masse, on

114

dirait une voile noire, gonflée, qui ondoie à la surface de l'eau. Jenane sort dans le jardin pour voir les choses de plus près, sans demander l'autorisation à ses parents, car les semaines passées dans les montagnes l'ont dégourdie. En s'approchant du bassin, elle comprend peu à peu que c'est le corps de son cheval en décomposition qui flotte dans la piscine. Il avait mangé son enclos pour ne pas mourir de faim, puis s'était échappé par le trou, et se penchant dans la piscine pour étancher sa soif, il s'y était noyé. Jenane se souvenait encore de la trace de ses mâchoires dans le bois de la palissade.

La famille s'envole pour la France où elle loue un appartement meublé dans le seizième arrondissement de Paris. Jenane ne quittera plus jamais ses parents. Plus tard, elle avait failli se marier après avoir retrouvé un homme de son village, un enfant des ruines de Tyr.

— Mais enfin, il m'a semblé ridicule de me marier à quarante ans. Et puis je voulais rester près de mes parents, qui ont pris leur retraite dans la région d'Orléans. J'ai préféré les suivre et travailler pour rester à leurs côtés.

C'est ainsi que Jenane était devenue la seconde de Michel à la pharmacie. Depuis une dizaine d'années, celui-ci la regardait avec un mélange de fierté et de peur, comme s'il posait son regard sur une actrice hollywoodienne ayant accepté un rôle dans sa pharmacie. Mais la vedette pouvait à tout moment se lasser de ce petit numéro et

accorder ses faveurs à un autre. Michel en tremblait, jamais conscient que le rapport de forces
était de son côté, ne se disant jamais qu'il était le
patron et elle l'employée.

Après le dîner, Michel me demanda de bien
vouloir ramener Jenane en voiture chez elle.
J'acceptai volontiers. Et surtout, j'avais envie de
photographier cette femme, à présent, contrairement à ce que j'avais dit à Michel avant de la
rencontrer. Je voulais saisir cette façon qu'elle
avait de sourire en parlant, mais de ne sourire à
personne. J'aimais aussi quand elle rangeait son
poudrier dans son sac et quand elle présentait ses
épaules au manteau qu'un homme allait y poser.

Sur le chemin du retour, je lui demandai si elle
accepterait que je fasse un portrait d'elle. Pour la
première fois, Jenane baissa les yeux. Michel lui
avait parlé de ce projet, me dit-elle, elle voyait
bien que cela lui faisait plaisir, mais elle n'en
avait pas particulièrement envie. J'essayai de la
convaincre, c'était normal, personne n'aime être
photographié, mais elle pourrait choisir le portrait qu'elle préférerait, elle devait se sentir très
libre. Nous arrivâmes en bas de chez elle et, au
moment de sortir de la voiture, elle me dit :

— Attendez-moi, je vais vous montrer quelque
chose.

Au moment où Jenane fit claquer la portière,
j'aperçus quelque chose sous la boîte à gants :
c'était le petit bracelet en or que j'avais remarqué
sur le poignet d'Alizée, une chaîne d'où pendait

116

la lettre A, sertie de faux diamants. Je songeai qu'à cette heure-ci, la championne devait être en train de voltiger dans les airs avec son skateboard et ses copines. Je ne lui en voulais plus, car c'était elle qui m'avait mise sur la route de Georgia. D'ailleurs, le A du bijou me fit penser au A de Georgia, et en le serrant au creux de ma main, je fis le vœu que ce bracelet me conduise sur sa route.

Jenane ressortit de son immeuble avec un grand album de photographies qu'elle portait collé tout contre sa poitrine. Elle le posa sur ses genoux en s'asseyant dans la voiture et me demanda d'allumer les veilleuses au-dessus du rétroviseur.

Elle ouvrit l'album avec délicatesse et feuilleta les premières pages, sur lesquelles étaient collées des images sépia décolorées par le temps, avec des portraits de ses ancêtres. Sur les pages suivantes, on voyait des groupes d'amis en noir et blanc, des rassemblements de famille dans des jardins, devant de belles maisons. Puis, les pages de l'album se teintaient de couleurs, c'était les années soixante, les femmes fumaient, portaient des robes dont les oranges éclataient sur le papier, on voyait des couples à table et des coiffures bouffantes. Ces pages étaient parsemées de quelques Polaroïds – des femmes en maillot de bain sur des bateaux. De temps en temps, on pouvait voir des paysages de montagnes ou de villes, des photographies de monuments. Et puis soudain apparut un gros bébé posé sur un coussin. Un personnage de petite fille avait pris possession de toutes les pages de l'album, les paysages et les bateaux avaient disparu pour laisser la place à Jenane, une enfant ravissante portant des robes blanches, jouant dans des jardins avec des cousins. Et puis brusquement, changement de décor. C'était toujours Jenane au premier plan, mais le ciel de Paris avait remplacé celui du Liban. La petite fille devenait une belle adolescente, en robe du soir, posant aux côtés de ses parents toujours fiers. Jenane me pointa du doigt un portrait d'elle, sur lequel on pouvait lui donner seize ans. Elle avait des traits gracieux et distingués, des yeux délicats dont les extrémités semblaient fondre dans la rondeur des joues, des cils noirs qui lui donnaient du caractère, des sourcils légèrement épais qui fendaient un front joliment bombé. Tout était ravissant, menu, exquis et frais – mais avec une bouche immense, rieuse, d'une sensualité presque vulgaire si le reste du visage n'avait pas été infiniment subtil. Ce visage était d'une beauté stupéfiante.

— Vous savez, me dit-elle en comprenant mon regard, quand on a été cette belle femme, il y a quelque chose d'humiliant à vieillir.

Elle disait cela sans aigreur ni tristesse, mais comme une constatation. Je savais qu'il n'aurait servi à rien de louer sa beauté d'aujourd'hui. Jenane me souriait fermement pour me signifier qu'elle ne voulait pas que je lui fasse l'affront de discourir sur les bienfaits de l'âge mûr, elle ne supporterait pas que je sois cette jeune femme pleine de sagesse qui loue la profondeur d'une ride, la beauté des yeux qui furent les témoins d'une vie. Elle serait non seulement insensible aux arguments candides d'une fille qui aurait pu être la sienne, mais elle serait déçue. À la place, je lui demandai d'accepter d'être photographiée de nouveau – ce qui était aussi maladroit dans le fond.

— Je n'en ai aucune envie, mais si cela fait plaisir à Michel, ajouta-t-elle dans un soupir.

Je me sentais gênée, je ne voulais pas que Jenane accepte le portrait simplement pour ne pas avoir d'ennuis avec son patron, comme une servitude d'un autre siècle. Je m'excusai, et m'engageai à trouver les mots pour dire à Michel que nous avions changé d'avis.

Nous étions toutes les deux dans ma petite voiture, la lune flottait dans le ciel et nous éclairait, comme à mon poignet brillait le bracelet d'Alizée, mon petit trésor de guerre. Je me suis demandé pourquoi une si belle femme, si douce, si intelligente, vivait seule et sans compagnie. Il faut croire que Jenane avait encore lu dans mes pensées.

— Un jour, me dit-elle, j'ai compris que Dieu aimait les hommes, qu'il aimait la nature et les animaux, mais qu'il n'aimait pas beaucoup les femmes. Quelle que soit la religion, elles sont rabaissées, punies, réduites au silence, avec peu de droits et beaucoup de devoirs. Mais ce n'est pas suffisant. Lorsque Notre Seigneur veut faire souffrir une jeune femme plus que les autres, il lui donne la beauté. Cette étrange bénédiction, ce cadeau de naissance le plus convoité d'entre tous après la richesse, est un cadeau empoisonné. Il est dangereux de vivre avec, douloureux de vivre sans, insupportable lorsqu'il vous abandonne. J'aurais aimé, dit Jenane, que Dieu me donne moins de beauté, ou alors, qu'il me donne aussi le don d'émouvoir, celui de chanter, que sais-je… un caractère, des armes pour me défendre, que je puisse repousser loin de moi les hommes qui voulaient me prendre et les femmes qui me jalousaient. La beauté attire les hommes malades qui croient qu'elle va les soigner. J'ai compris trop tard qu'il faut se méfier de ceux qui ne courent qu'après les beaux visages – ces êtres-là, au fond, détestent les femmes, croyez-moi. La beauté d'un visage entraîne une vie funeste, solitaire et froide. Qui rêve d'avoir la vie d'un diamant ? Quel ennui. Quelle folie.

J'étais au lycée en classe de première et peu entourée d'amies de mon âge, pour plusieurs raisons : d'abord j'étais une étrangère bien que chrétienne et parlant parfaitement le français, ensuite je n'avais pas les mêmes références que mes camarades, je n'avais pas vu les mêmes émissions de télévision, ni écouté les mêmes chansons – c'est un âge où ces choses comptent beaucoup. À cette époque-là de ma vie, où que j'aille, je lisais dans le regard des gens une stupéfaction devant ma beauté. Mon visage était sans cesse là, entre moi et le monde, comme un obstacle. Même avec les professeurs, cela posait un problème, je n'étais pas une élève comme les autres. Ce visage me procurait tant d'ennuis que je préférais rester tout le temps seule.

J'avais expliqué à mes parents que je ne voulais pas déjeuner à la cantine, car ce moment de camaraderie, où chacun vaquait avec sa bande, me renvoyait cruellement à ma solitude. Je préférais me rendre dans le bistrot qui se trouvait en face du lycée, un petit restaurant de quartier où déjeunaient les employés du coin. Un psychiatre de renom, le docteur S., y avait aussi ses habitudes, son cabinet étant situé dans la même rue.

Ce type me disait quelque chose, et pour cause, je voyais régulièrement sa photo dans un magazine destiné aux jeunes filles que je feuilletais de temps en temps. Cet homme était le sexologue du journal, chaque semaine, des adolescentes lui écrivaient une lettre pour exposer des problèmes qu'elles rencontraient dans leur intimité. Le journal reproduisait une partie de la lettre, suivie de la réponse du docteur : « *Chère Agnès, ta question est très intéressante…* »

Un jour que nous étions assis côte à côte dans le restaurant, il m'aborda. Sa conversation me mit tout de suite mal à l'aise, bien qu'elle fût assez banale. Mais il avait du mal à cacher sa lubricité, toujours présente dans chacun de ses regards. Je ne pouvais pas mettre un nom là-dessus, je me sentais simplement bizarre lorsqu'il me parlait. Il me noyait de paroles, il me proposait du vin, il me posait mille questions intimidantes, il flattait mes réponses, et soudain disait une chose très blessante, il avait un avis sur tout, il mangeait très vite, en grandes quantités, sa barbe sentait mauvais, il rappelait sans cesse qu'il était médecin avant d'être psychiatre et se prenait pour un dieu. Après quelques déjeuners, où désormais il s'asseyait systématiquement à côté de moi, il m'expliqua que nous étions amis, à présent, que cela comptait dans la vie les amis, surtout que je n'en avais pas beaucoup de mon côté, donc nous devions tout nous dire car c'est la façon dont se comportent les vrais amis. Seule la sexualité lui importait, seule l'intimité des jeunes filles le passionnait. Immédiatement, il commença par me poser des questions sur mon rapport aux garçons. Parfois il se moquait de mes réponses et j'avais un peu honte, d'autres fois il m'écoutait avec les pupilles dilatées et brillantes. Et si par malheur je refusais de répondre, il disait que je n'étais qu'une petite fille ou que j'allais être diagnostiquée « lesbienne » – et cela me faisait peur, car moi je voulais être une jeune femme comme les autres et rencontrer un mari. Il me poussait à lui faire des confidences intimes, qu'il utilisait ensuite contre moi, et dans sa bouche, des choses que je lui avais dites (des choses qu'il m'avait poussée à dire, des choses que parfois je n'avais même jamais pensées auparavant) devenaient humiliantes. Il ne vous lâchait plus. Je ne me rendais pas compte du pouvoir que mon visage exerçait sur lui, qu'il en était l'esclave, que cela le rendait fou et qu'il me le ferait payer. Au bout de quelques semaines, le docteur m'a expliqué que nous devions aller dans son cabinet – il savait que je n'avais pas cours cet après-midi-là. Il disait que maintenant je devais arrêter de faire mon allumeuse. C'était un homme. Et on ne se comportait pas comme ça avec un homme. Il fallait aller jusqu'au bout. Et se comporter en femme. Plus en petite fille à présent – à moins que je ne sois homosexuelle. J'avais dix-sept ans. Mais j'étais en effet une enfant. Je suis allée dans son cabinet juste à côté du bistrot où nous déjeunions parce que j'avais peur de lui et qu'il exerçait sur moi une très forte autorité.

Dans son cabinet il y avait une salle d'attente, un bureau avec le canapé où il recevait ses patients et une salle de bains. C'était là où tout se passait. Dans la salle de bains. Et de temps en temps sur le canapé.

La première fois, il fit couler de l'eau dans la baignoire, un fond de bain avec du savon. Ensuite je dus me laver. Lui aussi se déshabilla et s'assit sur le rebord. Ensuite il me demanda de nettoyer son sexe avec du savon, puis il m'expliqua qu'il allait laver mon sexe avec son sexe. Cela l'excitait que l'on se nettoie ensemble. Il fallait tout le temps que l'on soit propres, il voulait me donner des claques aussi. Il me prenait dans la baignoire ou dans son bureau sur le divan de ses patients. Il m'étouffait et son odeur corporelle me dégoûtait.

Il m'a pris ma virginité. Il me disait qu'il serait doux et gentil. Je ne peux pas dire le contraire. Je ne peux pas dire qu'il m'ait violée. Puisque j'y suis allée. Une fois. Puis plusieurs. Je ne peux pas dire non plus que je ne me suis pas sentie violée. Quand on pense qu'il conseillait les jeunes adolescentes sur la sexualité – il avait même reçu une médaille dont il était particulièrement fier, pour un livre consacré à la puberté. Il disait qu'il était Chevalier. Et que moi j'étais sa princesse.

C'était un homme marié, avec des enfants, un médecin réputé et connu du grand public. J'avais dix-sept ans, j'étais une enfant d'immigrés. Par la suite, il devint encore plus connu, il passa même dans certaines émissions de télévision que regardaient mes parents. Je défaillais lorsqu'il apparaissait à l'écran.

Un jour, je lui ai dit que je ne voulais plus le voir. Alors il s'est mis à me suivre dans la rue, il m'attendait à la fin des cours, il disait qu'il voulait me revoir, pour déjeuner. Seulement déjeuner. Au début il ne demandait rien, puis au fur et à mesure du repas, il voulait qu'on retourne dans son cabinet. Il insistait tellement. Parfois il me faisait penser à un petit enfant. Il devenait très fragile. Et ensuite il me disait des choses très méchantes. Sur moi. Sur ma famille. Qui me rendaient très triste. J'avais envie de pleurer alors je m'en foutais qu'il me prenne. Je voulais simplement qu'il me lâche. Une bonne fois pour toutes. J'y allais pour qu'il me laisse tranquille, j'y allais pour les quelques jours de paix qui suivraient.

Je suis tombée enceinte, mais comme il était docteur, ce fut très facile pour lui de me faire avorter. Un après-midi, il m'a accompagnée dans une clinique privée, je me souviens de cette sensation bizarre de se retrouver avec lui dans un autre endroit que dans son cabinet ou au restaurant. La femme qui m'a opérée avait visiblement l'habitude de lui rendre service en aidant des adolescentes en difficulté. Ils se sont parlé devant moi, la femme n'a pas posé de question sur mon « problème », pour elle, il était évident que j'avais contacté le docteur via le magazine, comme toutes les autres jeunes filles. Je n'étais pas la première qu'il aidait, mais étais-je la première qu'il avait engrossée lui-même ? Je ne sais pas. Quelques heures après l'opération, le bas de mon ventre a gonflé, il est devenu très dur, douloureux, et j'ai eu beaucoup de fièvre. Mais je ne pouvais pas en parler à mes parents et je ne voulais plus rien demander au docteur, je ne voulais plus jamais le voir de ma vie.

Quelques semaines plus tard, il m'a attendue à la sortie du lycée parce qu'il voulait de nouveau coucher avec moi.

— C'est pour nous dire au revoir. Gentiment, tu comprends. C'est important.

— Je ne veux pas.

— Tu ne veux pas me dire au revoir ? Ça veut dire que tu veux continuer à me voir…

— Non. Je ne veux plus te voir. Même pour déjeuner.

— Tu sais, il faut absolument le faire une dernière fois.

— Pourquoi ?

— Parce que sinon on ne sera jamais vraiment séparés.

— Arrête. Je vais le dire à mes parents.

— Tu le regretteras. Crois-moi.

Après cette menace, j'ai passé mon baccalauréat et il a disparu de ma vie. Quelques années plus tard, un gynécologue m'a appris que j'avais eu un problème après l'opération, j'étais désormais stérile parce qu'on ne m'avait pas soignée à temps. Le docteur, qui avait déjà deux enfants quand je l'ai connu, a eu trois autres enfants par la suite. Je l'ai appris quand il est mort, il y a dix ans, on a beaucoup parlé de lui dans les journaux.

Disparition du célèbre pédopsychiatre, à qui l'on doit la vulgarisation de certains concepts de psychanalyse. Il aura beaucoup œuvré à la compréhension du monde adolescent.

Mademoiselle

En rentrant à Paris, dans les bouchons de la porte d'Orléans, je reçus l'appel de mon ami péruvien, Carlos, qui est cameraman pour France Télévisions. Dans sa jeunesse, lors d'un voyage initiatique au Gabon, il a contracté une maladie incurable, une sorte de fièvre jaune chronique à laquelle il succombe une ou deux fois par an. Cette crise le tétanise et l'oblige à s'aliter sous surveillance médicale durant quelques jours. Dans ces moments-là, il me demande de le remplacer au pied levé, ce que je ne manque jamais de faire car je connais son matériel, sa façon de travailler – et puis, cela permet d'arrondir mes fins de mois.

D'une voix mourante, Carlos me suppliait de rejoindre immédiatement son collègue journaliste, qui sortait à l'instant de chez lui avec sa caméra. Le bistrot où nous avions rendez-vous se trouvait sur le rond-point des Champs-Élysées, derrière le Grand Palais dont le dôme vitré me fit penser à un sanatorium où l'on soignerait sa dernière tuberculose.

Je m'assis sur la banquette en faux cuir rouge, à côté d'un couple de comédiens qui répétaient une scène. Ils filaient le texte, comme on dit, s'échangeant les répliques à toute vitesse, simplement pour la mémoire. La pièce parlait d'un mariage et ils se traitaient de tous les noms avec un calme extraordinaire, ce qui me rappela mes parents, qui s'entraînaient à répéter leurs sketchs à table pendant le dîner, disant leur texte à toute vitesse, sur un ton désengagé, avec des inflexions de voix atonales, simplement pour répéter leur spectacle. Instinctivement, je regardai mon téléphone pour voir s'il n'avait pas sonné, si Georgia n'avait pas essayé de me joindre, je faisais maintenant ce geste sans réfléchir, plusieurs fois par heure, comme on cligne des yeux. À cet instant-là je reconnus Patrice, le journaliste avec qui j'avais rendez-vous, penché sur le comptoir avec sa vieille polaire grise toute peluchée, recouvrant son immense dos.

Ce n'était pas la première fois que je travaillais avec Patrice, j'aimais bien faire équipe avec ce journaliste qui racontait volontiers les souvenirs de sa jeunesse militante, au début des années quatre-vingt, au sein du club « Socialisme et Université ». Trop réservé pour s'engager dans une carrière politique, il était devenu journaliste à *Libération* puis au *Canard enchaîné*, mais à la suite d'une dépression qui l'avait empêché de travailler pendant presque deux ans, Patrice avait dû prendre des médicaments et arrêter de boire. Durant sa rémission, un ancien du *Canard* lui trouva un CDI à France Télévisions, mais il avait eu des difficultés à s'intégrer dans les équipes, on le disait bougon et vieille école. Il avait recommencé à boire, d'ailleurs je le trouvai sirotant sa bière.

Je compris immédiatement, à sa façon abrupte de me faire la bise, que Patrice était d'une humeur massacrante. Mais ce n'était ni ma faute, ni celle de Carlos, sa contrariété portait sur la personne que nous devions interviewer pour le Journal de vingt heures. Une ancienne call-girl d'à peine vingt ans.

— Elle est « styliste » maintenant… et moi, je suis danseuse étoile ? Une autre bière et un autre café s'il te plaît, dit-il au serveur qui portait un nœud papillon et un piercing sur la lèvre.

— C'est sûr que… c'est pas passionnant, dis-je en me brûlant avec le café.

J'expliquai à Patrice que je ne connaissais pas la jeune femme en question, encore moins cette affaire de prostituée et de footballeurs, il faut dire que je n'ai pas la télévision et que je ne m'intéresse pas aux sports collectifs – ni au sport en général.

— Les bombardements reprennent au Yémen et moi je suis censé m'intéresser à une miss qui dessine des petites culottes !

— Oui, c'est chaud, dis-je à la fois pour le café et la situation.

Patrice s'empêtra dans des justifications évasives, m'expliquant qu'il avait songé à refuser, mais qu'il avait les études de sa fille à payer, pour qu'elle devienne justement un être libre et indépendant dans ce monde terrifiant qui glorifiait la marchandisation du corps des femmes. Puis il régla mon café et ses bières en bougonnant, fit tinter ses pièces sur le zinc et se roula une cigarette avant de sortir.

Nous remontâmes les Champs-Élysées, Patrice s'énervait que la plus belle avenue du monde soit devenue un hall d'aéroport, un espace duty free en plein air. Moi cela ne me dérangeait pas, bien au contraire, j'avais l'impression d'être un peu en vacances au milieu de tous ces touristes en jogging rose. De toute façon, je bénissais tout ce qui pouvait détourner mon esprit de l'appel de Georgia qui n'arrivait pas, tout était bon à prendre et chaque seconde qui m'arrachait d'elle me soulageait, me libérait, dans une légère euphorie devant la moindre banalité, j'étais heureuse de me retrouver face à l'Arc de Triomphe, au lieu d'être dans mon lit à attendre que le téléphone sonne, j'étais curieuse de regarder les touristes, au lieu d'être fixée sur Google à la recherche d'informations sur l'industrie du textile franco-hindoue.

Nous avions rendez-vous au fond d'un hall commercial tout blanc, situé en haut de l'avenue, en face de l'ancien drugstore des Champs-Élysées. Nos pas résonnaient sur le sol en marbre, si soigneusement briqué qu'il reflétait toutes les lumières du faux plafond. Nous nous perdîmes dans les allées désertiques où des galeries d'art pour touristes plongées dans l'obscurité côtoyaient des bars à chicha de luxe fermés, tout semblait éteint, dans l'attente, comme si nous nous promenions dans un parc d'attractions vide avant l'arrivée des foules. Mais soudain, au croisement d'un couloir, un salon de thé rose flamboyant nous apparut telle Las Vegas au milieu du désert, jaillissant de sa boîte-surprise dans une forte odeur de peinture fraîche. Nous fûmes accueillis par une femme en tailleur noir qui souriait exagérément, pour cacher sa nervosité.

— Bienvenue dans le boudoir éphémère de Mademoiselle, nous dit-elle comme si elle comptait nous vendre des capsules de café ou une bague de fiançailles. Mademoiselle est un peu en retard, ajouta-t-elle, je vous propose de visiter le salon de thé en l'attendant.

— Okay, répondit Patrice. Mais on va pas rester des lustres, je vous préviens, ajouta-t-il en regardant sa montre.

Nous traversâmes une bonbonnière décorée avec un mélange ahurissant de styles. Les pilastres néobaroques côtoyaient les présentoirs en cristal façon Grand Siècle agrémentés de strings en dentelle suspendus aux murs roses capitonnés. La décoration surchargée partait dans toutes les directions, on avait l'impression d'entendre la cacophonie de l'orchestre quand tous les musiciens s'accordent en même temps.

Le plus détonnant, au milieu de ce bazar, c'était le grand corps de Patrice, avec sa veste polaire d'un beige qui n'était sans doute pas la couleur d'origine. Il se déplaçait difficilement entre les faux fauteuils Marie-Antoinette, ses gros godillots piétinaient les tapis fleuris tout droit sortis d'une maison de poupée et, dans les miroirs qui évoquaient le Petit Trianon avec leurs guirlandes gris perle, Patrice se reflétait en kaléidoscope. Ses cheveux mal lavés, sa banane autour de la taille, son pantalon de randonnée en stretch avec des membranes imperméables, étaient incongrus au milieu de la vaisselle anglaise.

Le directeur de la communication, un jeune homme d'une trentaine d'années affublé d'un enthousiasme débordant et d'un T-shirt à col en V moulant, ne put cacher son désarroi en nous voyant arriver. Je crois qu'il eut immédiatement le pressentiment que la partie n'était pas gagnée et que le journaliste de France Télévisions qu'on lui avait envoyé n'allait pas se passionner pour les coussins en alcantara rose et la porcelaine signée Royal Albert.

Néanmoins, il ne se découragea pas et demanda à la femme en tailleur noir d'aller nous chercher des « Sugar toys ». Puis il prit une grande respiration.

— Ici, nous expliqua-t-il, tout a été revisité dans un-pop-up-store-charmant-et-extravagant-où-les-adorateurs-de-cette-créatrice-pourrontdécouvrir-les-pièces-exclusives-de-sa-collection-Pâtisserie-Candy.

— Oh oh oh! fit Patrice en l'attrapant par le bras, car le jeune homme semblait prêt à s'envoler, faut pas me parler comme ça! Je suis désolé mais je comprends rien. On est dans un salon de thé, c'est ça?

— Oui. Mais… pas un salon de thé «classique», dit-il en esquissant des guillemets avec les doigts.

Puis le jeune homme nous assit à une table, son torse était rasé et fraîchement crémé, il fit signe à une jeune fille blonde, un portrait de Vermeer avec une robe-tablier en dentelle rose nouée sur les hanches, qui nous proposa :

— Une dégustation de nouvelles extases gourmandes qui riment avec les froufrous taillés dans le sucre d'orge.

— Okay, répondit Patrice qui commençait à paniquer. C'est possible d'avoir juste un café s'il vous plaît? Mademoiselle.

D'innombrables gouttes minuscules apparurent sur le front de Patrice. Il attrapa une serviette rose pâle pour s'éponger mais un petit morceau de papier resta collé à l'entrée de ses golfes dégarnis. Il me sembla que toutes les personnes réunies autour de la table se rendaient bien compte que la situation était absurde – mais chacun se raccrochait à l'idée rationnelle qu'il faisait «son travail» et que si des gens étaient prêts à nous payer pour faire ce que nous étions en train de faire, c'est que nous n'étions pas complètement fous. Et pendant que le directeur de la communication chuchotait des choses qui nous concernaient dans son téléphone portable, je scrutais, fascinée, la vie du bout de papier rose sur le visage de Patrice. Tout autour de nous, le buste de la jeune femme, l'extraordinaire morphologie de « Mademoiselle » depuis la gorge jusqu'à la naissance des fesses, était répliqué de mille manières, en mille tailles. Ce corps était dessiné sur les verres, reproduit en pâte à sucre, moulé en cire de bougie : où que l'œil se posât, il ne pouvait échapper à la représentation de « Mademoiselle ». Au centre de la pièce, grandeur nature, trônait une sculpture en plâtre blanc. L'ensemble des parties – le dos, les fesses, la poitrine – était assemblé d'une manière dangereuse, comme dans Badaboum, ce jeu de construction des années soixante-dix où l'on voyait un homme à moustache tenter de faire tenir en équilibre des pièces en bois. Chaque partie de son corps était disproportionnée, l'ensemble formant une anatomie proche de la difformité, mais qui, grâce à un concours de circonstances étranges, était devenue d'une beauté magnétique. Ces formes exerçaient sur l'œil une attraction puissante, comme un totem, qu'on ne pouvait s'empêcher de regarder.

Après avoir avalé deux ou trois tranches de cake présentées sous des cloches pâtissières, Patrice commença à s'impatienter. Cela faisait maintenant une heure que nous étions arrivés, il regardait sa montre, grondait intérieurement, bougeait de droite à gauche sur sa chaise, passait des coups de fil, renversait des objets sur son passage. Au moment où la femme en noir nous invita à caresser une série de strings roses en dentelle, je remarquai que sa barbe était devenue tout humide.

— Voyez le toucher des parures de fleurs en sucre glace faux-candy. Vous remarquerez un effet Smarties à profusion sur les tulles et soies.

— Et ça se mange vraiment ? demandai-je, fascinée.

— Évidemment, me répondit-elle. Ici, vous pouvez toucher les combi-shorts aux glaçages translucides, taillés dans des mousselines crémeuses.

Patrice sortit de sa banane un paquet de tabac à rouler, ainsi que son paquet de feuilles OCB dont il manquait un coin. Il soupirait, confronté à ce monde auquel il ne comprenait rien.

— Je vais acheter des filtres, dit-il en se levant.

Sur son passage, tous les objets – boîtes, sucriers, tasses, figurines, gâteaux, miroirs, coussins… se mirent à trembler. En attendant, je décidai de prendre de l'avance, j'installai le trépied et la caméra de Carlos en demandant à la serveuse qui ressemblait à *La Dentellière* de bien vouloir faire la doublure lumière.

C'est alors que « Mademoiselle » arriva, tenant en laisse ses petits chiens ainsi que son monde.

Elle marchait droite car sa robe, moulée sur son corps, comme cousue à même la peau, l'obligeait à faire de minuscules pas. Elle me fit penser à un petit animal, à une biche japonaise qui se serait transformée en princesse manga. Elle s'assit dans un fauteuil marquise sans que jamais son dos touche le dossier rembourré ni ses coudes les manchettes en soie. Ses attitudes imitaient une gestuelle aristocratique, comme une petite fille joue à la princesse, les postures étaient un peu trop exagérées mais après tout, les chefs d'État qui se plient aux règles de l'étiquette ont autant de maladresses.

Le directeur de la communication nous présenta, il était accompagné d'un homme mystérieux que son énorme ventre précédait en toute chose, T-shirt noir, barbe grisonnante et cheveux gominés.

La jeune fille posa alors ses deux petites menottes sur la table, s'excusa avec politesse pour son retard, battant des cils en regardant ses pieds, comme un personnage de dessin animé qui cherche à se faire pardonner – quelque chose, dans ce petit être aux attaches fines, donnait envie de s'y soumettre.

— Euh… bonjour…, dis-je, cela ne vous dérange pas qu'on fasse des réglages en attendant le journaliste ?

Dans l'œil de la caméra, je la regardai attentivement. Malgré ses cheveux en plastique, malgré ses faux cils, malgré ses ongles en silicone, je décelai dans son air quelque chose qui désarmait toute tentative de moquerie, cela serait sans doute trop évident de dire que c'était une blessure et pourtant c'était cela, une tristesse tout au fond de son regard.

— Et… comment ils s'appellent vos chiens ? dis-je pour la détendre.

— Miyuki Spitz et Enzo Shitsu. J'aime rester avec eux.

— Okay. D'accord. Donc euh… on va faire des essais voix si cela ne vous embête pas.

L'homme à la barbe grisonnante s'intéressait à nous de temps en temps, quand son œil d'éléphant à la paupière ridée, mi-close, daignait se détacher de ses trois téléphones portables.

— Vous aimez bien le rose j'ai l'impression…, dis-je pour la faire parler, mais elle entendit : « Vous aimez bien les roses j'ai l'impression. »

— Oui, les roses roses. Comme celle-ci, me répondit-elle en me montrant une fleur posée sur la table. Même si, quand je regarde les roses, je suis triste. Triste parce qu'elles vont faner.

— Okay ! dis-je en parlant fort, c'est bon pour moi ! Je vais prévenir le journaliste qu'on est prêtes.

Je trouvai Patrice, dehors, sur le trottoir, en train de fumer tranquillement une énième cigarette roulée. Il était calme et les gouttes ne perlaient plus sur son front.

— Je ne vais pas le faire, m'expliqua Patrice, sûr de sa décision. C'est même plus une question de conviction. Ni d'idéologie. Là c'est de la compétence.

Alors le directeur de la communication, qui avait changé de couleur, approcha son visage devenu pâle et prit mes mains dans les siennes et me demanda en les secouant :

— Vous ne pouvez pas le faire, vous ?

— Oui, on te fait confiance, me dit Patrice, tu peux t'en sortir, ajouta-t-il en posant sa main sur ma nuque.

Je regardai, surprise, ces deux hommes que tout opposait, mais tout autant désarmés devant un petit être féminin. J'acceptai de remplir cette mission et je partis affronter Mademoiselle.

— Quelle image de la femme donnez-vous ? lui demandai-je.

— Je ne sais pas, répondit-elle, ce n'est pas à moi d'en juger, mais j'essaye d'être une femme libre.

— On ne peut pas dire que votre « femme gâteau » soit une image de « liberté ».

— Je ne suis pas d'accord. Il faut aimer ce que représentent les femmes pour les défendre.

— C'est-à-dire ? Je ne vous comprends pas…

— Certaines personnes sont dans des codes, certaines personnes qui veulent défendre les femmes. Mais moi je ne veux pas rentrer dans ces codes-là. Ce qui ne m'empêche pas de défendre les femmes.

— En disant « habillez-vous comme des poupées » ? Drôle de défense…

— Pour être prise au sérieux, il faudrait se couper les cheveux et porter des pantalons ? C'est ça ? Mais c'est pas non plus défendre la femme, ça. Je comprends les femmes qui n'ont pas envie de s'habiller comme moi et je les respecte. Mais je suis désolée, j'aime trop la femme, je suis trop fière de ce que je suis en tant que femme pour avoir envie de défendre l'idée d'être habillée en garçon.

Soudain « Mademoiselle » me fit penser à une photographie, rangée quelque part dans ma mémoire, celle d'une femme avec de faux cheveux, comme elle, les mêmes yeux fardés à la Bardot et la même fragilité. Mais quelle photographie ? Je ne parvenais plus à me souvenir et c'était agaçant.

— Je n'aime pas la propagande contre la féminité, ajouta-t-elle pour m'achever. Je me sens libre dans ce que je propose de la femme. C'est mon univers et je me moque du qu'en-dira-t-on.

« Mademoiselle » m'expliqua qu'elle était bonne élève à l'école. Enfant, elle aimait bien imaginer des histoires. L'une d'entre elles se passait dans un salon de thé, « exactement le même que celui où nous sommes aujourd'hui », dit-elle. À l'âge de dix ans, elle vint habiter en France avec sa mère et son frère, à Champigny-sur-

Marne, parce que ses parents divorcèrent. Elle ne parlait pas bien le français, développa ses facultés en mathématiques – mais ce ne fut pas suffisant, ses notes chutèrent à l'école. Elle n'oubliait pas d'où elle venait, fière de sa culture arabe. Elle évoqua les années cinquante, lorsque ses aïeules pouvaient s'habiller comme elles le souhaitaient et pratiquer leur religion, sans obligation. « Je voudrais qu'on puisse montrer aux extrémistes qu'on peut être musulman et vivre sa vie comme on la souhaite. Tous ces peuples à qui on a volé la vie, le droit de rigoler et de regarder des images… cela me rend triste », dit-elle. Quelques années après son arrivée en France, la jeune fille fait de très mauvaises rencontres. Elle ne cache pas la raison qui la mena là : l'argent. C'était pour acheter des choses, parce que la société nous demande d'acheter des choses. Sans cesse. Remplir le vide. Et de mauvaises rencontres en mauvaises rencontres, la jeune fille a des rapports tarifés avec certains footballeurs de l'équipe de France. La première fois, elle vient tout juste d'avoir dix-sept ans, on l'envoie dans un hôtel en Allemagne pour assouvir les pulsions des héros de la nation. Elle est le cadeau-surprise du sportif star de l'équipe.

— Joyeux anniversaire !

Mais elle est mineure, alors elle devient une « affaire » qui porte son nom. Les joueurs, eux, sont mis en examen, envoyés devant le tribunal correctionnel et finalement relaxés, lavés, blanchis. Mais pas son nom à elle. Son nom, contrairement aux joueurs, demeure associé à l'idée de la prostitution.

— Vous savez, j'ai été humiliée, dit-elle.

À la façon dont elle me regardait, je compris que je n'avais jamais connu l'humiliation d'être une femme, et à la dureté de sa voix, que je n'avais jamais connu le déshonneur. Elle ajouta qu'elle n'avait plus de nouvelles de son père depuis « ça ». Il fallait qu'elle « fasse avec ». Il fallait qu'elle travaille et qu'elle puisse enfin décider pour elle, de sa vie.

— Pensez-vous être un modèle pour les jeunes filles ?

— Non, je ne le pense pas.

Ce fut ma dernière question, je la remerciai sincèrement pour l'entretien avant de ranger mon matériel et mes affaires personnelles. Tandis que je fermais la housse du micro, j'aperçus l'homme à la barbe grisonnante, penché sur le visage du directeur de la communication. Le premier s'était rembruni, tandis que le second était plus livide que jamais. Vraisemblablement, il y avait un problème, et de taille. D'ailleurs, je ne tardai pas à voir le jeune homme se ruer vers nous, deux strings en dentelle dans la main, pour m'expliquer qu'il fallait refaire l'entretien. Rien de ce que nous avions filmé ne passerait au Journal de vingt heures. Il fallait que nous recommencions pour parler du défilé de lingerie et du salon de thé. Il posa les deux strings sur la table, sous

141

l'œil avisé de l'homme à la barbe grisonnante et nous nous exécutâmes, « Mademoiselle » et moi, en parlant trois minutes montre en main de soutiens-gorge, de petites culottes et de gâteaux au chocolat.

Yuko

Pour la troisième fois, Julie avait été transférée dans une nouvelle chambre et je dois avouer que ces changements décidés par les médecins suscitaient entre Thierry et moi de longues conversations. On me fit patienter dans un bâtiment que je ne connaissais pas, dans une salle d'attente où tout était vissé au sol, les poubelles, les chaises et les cendriers. Quelqu'un avait même pris la décision de grillager les fenêtres, dans un excès de précautions car nous nous trouvions au rez-de-chaussée.

Assise par terre, une adolescente s'évertuait à dévisser les boulons d'une chaise, à côté d'un groupe de Japonais et leur guide, qui lisait en édition bilingue *Le Joueur d'échecs* de Stefan Zweig.

— Vous visitez ? lui demandai-je, surprise que Sainte-Anne fasse partie des attractions touristiques, au même titre que la tour Eiffel et le musée du Louvre.

— Pas du tout, m'éclaira le guide avec beaucoup de politesse, il existe à Sainte-Anne une cellule spécialisée dans le « syndrome de Paris », un trouble psychologique qui touche exclusivement les touristes japonais, on l'appelle « Pari shokogunun ».

Le groupe de touristes, originaire de la ville de Yokohama, accompagnait une jeune femme de vingt-cinq ans, Yuko Sakamoto, qui avait durement économisé sur son salaire d'employée de la Japan Victor Company pour effectuer ce voyage à Paris dont elle rêvait depuis l'enfance. En trois ans, elle n'avait pas pris un seul jour de vacances, dans l'idée de s'offrir une semaine de tourisme dans la capitale française. Nourrie de fantasmes, elle s'était figuré Paris comme une ville idéale, où toutes les femmes, élancées et filiformes, vivent habillées en haute couture, où tous les hommes, élégants et fins gourmets, pratiquent les bonnes manières. Mais dès son arrivée à l'aéroport, Yuko constata que la France n'était pas exactement telle qu'elle se l'était imaginée, les toilettes étaient sales, les serveurs désagréables, les Parisiens de mauvaise humeur, et l'odeur du métro lui donnait des nausées. Dès les premières heures, un sentiment de peine inconsolable envahit la jeune fille. Yuko devint un peu nerveuse, jour après jour, un sourire énigmatique s'était cousu sur ses lèvres. Ce matin, après le petit déjeuner, elle s'était enfermée dans sa chambre d'hôtel car elle pensait que quelqu'un la poursuivait. Il fallut appeler les pompiers car elle ne voulait plus ouvrir à personne.

— Dans ce genre de cas, nous appelons immédiatement l'ambassade du Japon, qui déclenche le processus d'accueil du malade auprès de la cellule de Sainte-Anne.

À ce moment-là, l'infirmière arriva pour m'emmener dans la chambre de Julie. Je remerciai le guide et souhaitai un prompt rétablissement à la petite Yuko. Tous les Japonais baissèrent la tête pour me saluer gentiment, je fis de même.

Mon amie était allongée sur son lit. Son visage boursouflé, plein d'eau, lui donnait l'air d'une otarie juvénile. Elle m'expliqua que les médicaments la faisaient grossir mais je vis sur sa table de chevet des paquets de gâteaux empilés.

— Je vais mieux, me dit-elle.

— Franchement, on dirait pas, lui répondis-je, car je ne voyais pas l'intérêt de mentir.

— Si. Nous avons trouvé l'origine de la faille. Avec le psychiatre. Avec le Hongrois, évidemment. Pas le chauve. Il est nul le chauve, me dit Julie qui parlait curieusement, de façon saccadée.

Je me souvenais du docteur Petton qui m'avait soigné le genou, en revanche je n'avais jamais entendu parler de ses deux autres psychiatres, le Hongrois et le chauve, mais je sentis que ce n'était pas le moment d'entrer dans les détails, qu'il fallait plutôt aller droit au but.

— Et alors ? C'est quoi, le problème ?

— La césarienne, me dit-elle sur un ton définitif. Tout vient de là.

Pour comprendre, il fallait revenir en arrière et se pencher sur la grossesse de Julie. Les mois qui précédèrent son accouchement, elle lut toute la littérature existant sur ce sujet, même *La grossesse et le suivi de l'accouchement chez les Touaregs Kel-Adagh*, *Le massacre des périnées*, *Le ballon de baudruche du docteur M. Godet*, et pour se changer les idées *Accoucheur de campagne sous le Roi-Soleil – Le traité d'accouchement de G. Mauquest de la Motte*. Elle avait suivi les cours d'une sage-femme à la clinique, un stage d'accouchement dans l'eau, ainsi qu'une méthode d'autohypnose sur internet. Son mari l'avait accompagnée dans la plupart de ses cours, il avait même songé à lancer un mooc pour les futurs pères, qui ferait la synthèse de tous les enseignements qu'il avait suivis. Julie et Thierry étaient prêts pour accoucher, de la même façon qu'ils avaient préparé ensemble le grand oral de Sciences Po.

— Moi j'ai toujours bien fait mon « travail », me dit-elle.

— Oui… je sais…, répondis-je.

— Or, on parle du « travail » en salle d'accouchement, tu comprends ?

Le jour du terme, Julie était prête pour son grand concours. Il faut savoir que Julie n'avait jamais rien raté dans sa vie. Pas un examen. Pas une mayonnaise. Pas même un train. Mais Julie et son mari déchantèrent dès l'arrivée à l'hôpital. Les mots « tension haute… albumine… éclampsie… toxémie gravidique… », commencèrent à valser autour d'eux. Rien de grave, expliquaient les médecins. Simplement, il fallait déclencher l'accouchement, pour que le bébé arrive au plus vite. On lui administra un produit afin de forcer l'ouverture du col, ce qui provoqua des contractions très douloureuses. Une fonction dans le cerveau, paraît-il, permet d'effacer les mauvais souvenirs de l'accouchement, sans quoi les femmes refuseraient catégoriquement de recommencer. Dans le cas de Julie, la suppression de cette parcelle de mémoire n'avait vraisemblablement pas bien fonctionné.

— Trente-six heures. Ils m'ont laissée travailler trente-six heures ! Et moi je souriais. Je voulais savoir si mon mari ne s'ennuyait pas, si mes parents seraient contents du prénom, si mes beaux-parents étaient satisfaits de leur hôtel, si mes collègues s'en sortaient sur les dossiers en cours. Trente-six heures à souffrir le martyre.

Depuis qu'elle était en âge d'avoir des enfants, jamais Julie n'avait envisagé pouvoir accoucher autrement que naturellement. Jamais. Cela ne pouvait pas « lui arriver », à elle. Or, les médecins prirent la décision de faire une césarienne car le bébé se fatiguait.

Tout s'était déroulé très vite. Le bloc opératoire. L'ouverture des entrailles. L'impression qu'on lui extirpait son enfant du ventre, qu'une main fouillait dans ses viscères. Elle eut le sentiment d'avoir échoué, elle disait : « C'est comme si je n'avais pas accouché », comme si elle n'était pas légitime dans son statut de mère. Les semaines qui suivirent, Julie ressentit un éboulement intérieur, tout son être s'affaissait, se désagrégeait, Julie éprouvait un profond abattement dès qu'on lui parlait de son accouchement. Une tristesse douloureuse s'était emparée d'elle, il lui arrivait de pleurer devant une couche, en se demandant quel était l'endroit de l'envers. Elle paniquait en comptant les doses de doliprane, comme si une erreur pouvait empoisonner son enfant. La vision d'une femme enceinte dans la rue provoquait une accélération de son pouls. Puisqu'elle n'avait pas réussi à accoucher naturellement, sans l'aide des médecins, elle se mit à douter de sa capacité à élever son enfant. Petit à petit, une peur l'envahit lorsqu'elle était seule avec lui, elle se sentait dévalorisée, elle avait l'impression d'être une incapable. Il lui fallut du temps pour admettre qu'elle était en train de devenir folle. C'est son mari qui alerta ses parents, le jour où elle lui expliqua :

— Il faut qu'on fasse des tests ADN en Belgique.

— Mais pourquoi ? demanda Thierry effaré, pensant que sa femme lui annonçait qu'elle l'avait trompé.

— Avec le rideau, répondit-elle, on n'a pas vu le bébé sortir du ventre. Qui nous prouve que c'est le nôtre ?

Une heure plus tard, elle m'avait déposé son enfant, les fesses à l'air. Je n'avais pas vu venir cette dépression. Au contraire, j'étais admirative du soin qu'elle mettait à élever son nourrisson tout en donnant l'impression que sa vie de femme avait repris son cours comme autrefois. Je n'avais pas vu qu'elle s'épuisait à la tâche. Je n'avais pas vu qu'elle se noyait. Et aujourd'hui, elle était à l'hôpital. La moindre conversation la fatiguait, je devais la laisser se reposer à présent mais elle ne voulait pas me laisser partir. Julie avait besoin que je lui raconte la vie du dehors, les anecdotes sur les voisins de l'immeuble, des nouvelles de mon fils et de Michel, pour qui elle avait une affection particulière. Je sais que les amoureux sont d'un ennui mortel alors, au lieu de lui parler de Georgia dont j'attendais désespérément un signe, je lui racontai plutôt mon entretien avec « Mademoiselle ».

Au fond, lui dis-je, « Mademoiselle » est l'héritière de *Nana*. Et de toutes ces courtisanes des siècles passés dont ma mère dévorait les biographies. Mata Hari, Messaline, la Païva, Marie Duplessis et la Belle Otero, ces femmes aux noms exotiques qui avaient bercé mon adolescence, dont j'entendais parler comme s'il s'agissait de lointaines tantes. Je me souviens d'Anne, dite Ninon de Lenclos, enfant prodige qui citait Montaigne et fut initiée à l'art d'être courtisane, qui baisait et lisait encore à l'âge de quatre-vingt-cinq ans. Dans son testament, elle légua une bibliothèque remplie de livres à un jeune enfant qui la bouleversa par son intelligence, le futur Voltaire. Je me souviens d'Ida Saint-Elme, qui fut la maîtresse du maréchal Ney, elle écrivit ses *Mémoires d'une contemporaine* mais fut soupçonnée d'avoir eu recours à un nègre parmi ses nombreux amants écrivains. Évidemment, comment une femme, une courtisane, pourrait-elle tenir une plume ailleurs qu'entre ses deux belles fesses ? Lola Montès, une métisse, créole et irlandaise, qui fut « danseuse exotique », la maîtresse de Franz Liszt et de l'auteur de *La Dame aux camélias*. Quand elle dansait sur scène, elle levait ses jupes si haut que les spectateurs, éberlués, pouvaient entr'apercevoir son sexe le temps d'un éclair noir. Cette danse surnommée « la danse de l'araignée » provoquait des cohues. Lola Montès sera aussi la maîtresse de Louis Ier de Bavière avant que Max Ophuls ne réalise en 1955 son dernier chef-d'œuvre sur elle.

Julie me regardait lui parler et des larmes coulaient sur ses joues. Je lui demandai ce qui la mettait dans un état pareil :

— Tu me manques, répondit-elle. Promets-moi que je vais m'en sortir.

Puis Julie me fit un grand sourire doux et lavé. Je compris qu'il était temps que je la laisse dormir. Elle ferma les yeux et je lui déposai dans la main le petit bracelet d'Alizée que je portais au poignet, pour qu'il lui porte bonheur. Je fermai doucement la porte, repartant dans le dédale des couloirs, et en passant devant la salle d'attente j'aperçus les touristes japonais qui attendaient toujours patiemment. Je songeai à la jeune Yuko, déçue par la ville de ses rêves. Et à Julie, déçue par cet accouchement qui ne s'était pas passé comme elle l'avait imaginé. Peut-être que le remède à l'existence, au fond, c'était de ne s'attendre à rien.

Pendant que je traversais les jardins, mon téléphone se mit à sonner. Je ne connaissais pas le numéro de téléphone qui s'affichait, alors mon cœur se mit à battre car une voix de femme se fit entendre à l'autre bout du fil.

— Allô, fis-je en essayant de calmer mon cœur, sur le point d'exploser de joie.

— Bonjour, c'est Marie.

— Marie… Marie ? demandai-je, déçue, puis avec un soupçon d'angoisse dans la voix.

— Marie Wagner. La femme du pasteur Wagner. En fait… je suis à Paris, je vous appelle d'un téléphone qui n'est pas le mien… on m'a volé mon sac à main… avec mon portable, mon portefeuille… je me demandais si je pouvais venir chez vous, je ne sais pas où aller.

Je lui indiquai mon adresse en maudissant le faux espoir qu'elle m'avait donné. Puis, en passant sous le grand porche de sortie, je constatai, furieuse, que j'avais bien raison de ne rien attendre de l'existence.

Parce que, la plupart du temps, il ne s'y passe pas grand-chose.

Maryame

La vision de Marie, se tenant toute droite au bas de mon immeuble, dans mon quartier, me fit le même effet troublant que, enfant, lorsque vous croisez votre professeur de mathématiques en train de faire les courses au supermarché, ou votre maîtresse d'école dînant au restaurant avec son mari. Sa présence dans mon paysage quotidien avait quelque chose d'anachronique et de déroutant. En m'approchant d'elle, je me rendis compte que Marie tremblait de tout son petit corps, on aurait dit un tas de feuilles mortes soulevé par le vent.

— Qu'est-ce qui vous arrive ? lui demandai-je de très bonne humeur car j'avais miraculeusement trouvé une place pour me garer dans la rue.

Elle ne pouvait pas me répondre, parce qu'elle claquait des dents, j'en conclus qu'elle devait être morte de faim ou de froid.

— Une Francfort frites ? lui proposai-je en montrant un bistrot. C'est dingue, ajoutai-je, je viens de remarquer que tous les mercredis à la même heure, j'ai envie de manger des saucisses.

Puis je me lançai dans une description sur leur moutarde au cumin, qui pourrait nous revigorer l'une et l'autre, mais Marie ne partageait pas mon enthousiasme et ne parvenait toujours pas à articuler des syllabes correctement.

— J'ai perdu Germain, réussit-elle à prononcer en faisant beaucoup d'efforts, comme certains bègues qui sont obligés de crier pour terminer leurs phrases.

— Qui ça ? répondis-je, ne comprenant pas tout de suite qu'il s'agissait du jeune aveugle.

— Dans le métro ! Pendant que je vous téléphonais.

— Je comprends rien… je croyais qu'on vous avait volé votre portefeuille ?

Marie poussa un cri car elle était vraisemblablement à bout de nerfs. Je compris qu'il fallait renoncer aux saucisses et nous rentrâmes chez moi. C'était vraiment regrettable que Julie ne soit pas là car c'était tout à fait le genre de situation qu'elle savait résoudre, partir immédiatement à la recherche d'un provincial aveugle perdu dans le métro, tout en préparant un dîner végétarien pour dix personnes et sa réunion du lendemain matin. Moi pas du tout, je rêvais plutôt de prendre un bon bain chaud pour penser à Georgia en me caressant dans l'eau. Mais en l'absence de Julie, il fallait bien que je prenne la relève de l'aide au prochain.

Arrivée dans mon appartement, je proposai à Marie de se détendre en buvant un verre pendant que je prenais une douche pour me laver de la journée. Mais elle se mit dans tous ses états : je ne comprenais pas l'urgence de la situation, ni sa gravité, nous n'avions pas le temps de rester à la maison, il fallait tout de suite ressortir, retourner dans le métro, prévenir la police, la mairie, les pompiers, faire une annonce publique !

Rien ne me rend plus calme que les gens qui s'énervent.

Alors je laissai Marie tourner comme une toupie sur le tapis de mon salon et me dirigeai vers la cuisine. Du freezer, je sortis une bouteille de Zubrowka bien glacée, puis nous servis deux verres que je ramenai au salon, expliquant à Marie que boire était encore le meilleur moyen de s'éclaircir les idées pour réfléchir calmement à la suite des événements. Mais Marie refusa et d'un geste brusque flanqua nos deux verres par terre. Gâcher la vodka est une des rares choses qui peut véritablement me mettre en colère. J'avais envie que cette femme s'en aille au plus vite de chez moi alors je lui ordonnai de s'asseoir sur mon canapé-futon. Je voulais le récit précis des événements, dans un ordre chronologique, afin que je puisse trouver des solutions pour retrouver le jeune homme, les déposer à la gare et me débarrasser définitivement d'eux.

Marie m'expliqua qu'ils avaient pris le train ce matin même pour Paris. Ils devaient rencontrer la directrice de l'Institut des jeunes aveugles, afin de discuter ensemble de la possibilité d'intégrer Germain dans un cursus scolaire à partir de l'année prochaine. Tout s'était très bien passé et la directrice fut encourageante. En sortant du rendez-vous, ils descendirent dans le métro à la station Duroc. Pendant qu'elle consultait le plan pour retourner gare Montparnasse, Marie se fit voler son sac à main, contenant toutes ses affaires, dont son téléphone portable. Germain, et pour cause, n'avait rien vu venir.

Plus de billet de train, plus de téléphone, plus même de quoi se payer un ticket de métro, la situation était catastrophique. Marie se rendit auprès d'un guichet d'information de la RATP. L'agent, un collectionneur de pin's sur le thème du judo qu'il arborait sur son gilet vert bouteille, avait été sensible à la détresse de Marie. Il avait accepté qu'elle utilise le téléphone fixe de la cabine RATP pour passer un coup de fil. Or, la seule personne dont elle possédait le numéro de téléphone, c'était moi, puisqu'elle l'avait noté sur un bout de papier avant de prendre son train, papier qu'elle avait miraculeusement glissé dans la poche arrière de son pantalon et non dans son sac à main. Pendant qu'elle parlait avec moi à l'intérieur de la cabine RATP, Germain, qui était resté à l'extérieur, s'était éloigné puis volatilisé dans la foule. Marie craignait qu'il ne soit tombé sur la rame du métro et toutes sortes d'accidents terribles. Je l'obligeai à boire un verre de vodka glacée, sans quoi je refusais de lui porter secours.

Après que nous eûmes terminé la bouteille à deux, Marie fut ivre morte et beaucoup plus marrante. Ses yeux roulaient dans le vague, comme les chiots dont les pupilles font les essuie-glaces.

— Je vais trouver une solution, dis-je, avec la confiance que la vodka me confère en toute situation.

— Vous êtes géniale, ajouta-t-elle en louchant légèrement.

Je ressentis une immense fierté. Cette toute petite femme, avec les os de son petit nez et de sa petite mâchoire, cette petite femme, ivre dans mon salon, me donnait le pouvoir de faire son malheur comme son bonheur. Je n'avais encore rien fait et pourtant Marie me regardait déjà comme un héros.

— J'ai besoin d'être seule pour réfléchir, lui dis-je calmement.

Je lui indiquai notre plan d'attaque. Elle se rendrait chez Carlos à ma place, afin de lui rendre sa caméra. Pendant ce temps-là, je lui promis de retrouver Germain…

— C'est formidable ! s'exclama Marie, les yeux si écarquillés qu'ils semblaient sortir de leur orbite.

Jamais de ma vie je n'avais connu ce sentiment de puissance. Ensuite malheureusement elle voulut savoir comment j'allais bien pouvoir m'y prendre.

— Fais-moi confiance, lui répondis-je en n'ayant pas la moindre idée de quoi faire.

Marie disparut dans un taxi, je me fis couler un grand bain moussant avec les produits que j'avais volés à l'hôtel et dont l'odeur me rappela cruellement ma nuit avec Georgia. Tandis que mon corps entrait dans l'eau chaude, j'ouvrais grand la bouche pour faire pénétrer l'air dans mes poumons. J'avais été en apnée depuis ma séparation d'avec Georgia. Pourquoi ne m'avait-elle toujours pas téléphoné ? Il fallait que je me rende à l'évidence : c'était à cause d'une autre femme.

Je regardai mes orteils émerger de la mousse au bout de la baignoire, leur vernis s'était écaillé, dessinant des cartes de pays imaginaires. Je voyais tout un monde renversé dans l'inox de la robinetterie, comme lorsque j'étais enfant et que je m'inventais des histoires dans mon bain, mon esprit s'échappait par le siphon, sur un radeau à travers les tuyaux, puis ressortait à l'air libre, en plein soleil. Aujourd'hui encore je rêvais ma vie puisque j'imaginais mille histoires dans lesquelles Georgia était toujours la fatale héroïne, séduisant tous les êtres pour les perdre à jamais. Il faut bien avouer que les histoires que je mettais en scène étaient d'une banalité affligeante, car l'imagination jalouse repose sur les mêmes ressorts triviaux que la pornographie, ainsi je fantasmais Georgia habillée d'un smoking noir, fumant un cigarillo, portant une lavallière et les

157

cheveux plaqués en arrière à la Gary Cooper. Accoudée au bar, rouge à lèvres sombre, telle qu'elle m'apparut le premier soir à l'hôtel, elle guettait sa prochaine proie. Je l'imaginais dans un palais de Delhi, en train de siroter un whisky dans des vapeurs de cumin noir, offrant à boire à une jeune femme habillée d'un sari couleur poudre de mangue, excitée par la luisante transpiration de sa peau. Et moi aussi j'étais excitée en imaginant la façon dont Georgia allait l'embrasser, en mangeant sa bouche comme un fruit juteux.

Heureusement, le froid du bain me ramena à l'instant présent, ma peau fripée était sur le point de se détacher comme l'écorce d'une clémentine. J'étais furieuse qu'un être que je n'avais connu qu'une poignée d'heures puisse devenir si entêtant. Et me rendre si bête. Au fond, j'avais passé bien plus de temps à penser à elle, qu'à être avec elle. Il fallait que cela cesse, immédiatement. Une seule personne pouvait m'aider à trouver Georgia. Ou m'aider à l'oublier. Marie-Amélie, surnommée Maryame par les gens qui la consultent. Je bondis hors du bain pour l'appeler depuis le téléphone fixe du salon – Maryame ne veut pas qu'on l'appelle avec un portable – sans prendre le temps de me sécher, laissant des traces de pieds mouillés sur le parquet.

— J'ai besoin de vous voir tout de suite, lui dis-je au téléphone, oubliant Marie et ma promesse de chercher Germain en son absence.

— Oui je sais, répondit-elle de sa voix mono-corde. Je vous attends.

— Ah bon ? demandai-je étonnée.

— Je l'entends à votre voix. Venez tout de suite.

C'est à ce moment que mon fils et sa petite amie, qui rentraient d'Orléans, me trouvèrent en train de téléphoner, sur une petite flaque d'eau, toute nue dans le salon. Avant que Sylvain fasse remarquer mon manque de pudeur face à sa petite amie, j'expliquai aux enfants que l'heure n'était pas aux leçons de bienséance, elle était bien plus grave. Je leur expliquai la visite de Marie et l'urgence de la situation. Par miracle, les enfants prirent cette histoire d'aveugle perdu très à cœur. Déjà lorsqu'il était enfant, Sylvain découpait des coupons sur des boîtes de céréales pour aider les animaux en détresse, puis m'obli-geait à faire des chèques, avant d'écrire patiem-ment l'adresse de l'association caritative sur une enveloppe – qu'évidemment je ne mettais jamais dans la boîte aux lettres.

Sylvain et Sylvette décidèrent de prendre une heure sur leur temps de révision pour tenter de sauver ce garçon perdu dans la capitale. Ils avaient de nombreuses idées que je les encoura-geai à mettre en pratique : téléphoner au com-missariat du septième, aux informations de la RATP.

— Formidable ! Continuez à réfléchir ! Je suis sûre que vous pouvez trouver encore mieux !

Pendant ce temps-là, j'ai un rendez-vous pour mon travail, mentis-je pour ne pas avoir à rendre des comptes sur mon abandon de domicile.

Marie-Amélie Roussel est une femme d'une cinquantaine d'années, altière, presque distante dans ses façons de parler, qui fut autrefois avocate. Elle vous reçoit d'ailleurs dans son bureau qui n'a pas changé depuis le siècle dernier. Son diplôme du barreau de Paris est toujours accroché derrière elle, il jaunit dans un cadre qui prend la poussière, à côté de sa plaque où figurent son nom et son numéro de téléphone, surmontés d'un dessin de palais de justice gravé dans le laiton. Sur les étagères il y a des piles de dossiers entassés, aux chemises vertes ou orange, où sont inscrits des noms de clients que je connais par cœur pour avoir passé des heures à les regarder : Delaunoy-Sausey, Tas-Murneau, Brandiski-Chabert, etc. Maryame a cessé d'être avocate il y a une quinzaine d'années, mais elle est restée « conseil ». D'ailleurs, c'est ainsi qu'elle se présente sur sa carte de visite : M.-A. ROUSSEL CONSEIL.

Elle vous reçoit assise derrière son bureau, toujours dans la même tenue, quel que soit le jour de l'année : un trench beige, des lunettes de soleil et un foulard sur la tête. Elle n'enlève jamais son manteau ni ses lunettes noires, même quand il fait très chaud dans son bureau, en particulier l'hiver, à cause de ces chauffages au sol des années soixante-dix qui font les jambes lourdes et de l'électricité statique. Maryame fume des Rothmans bleues en très grande quantité si bien que son bureau est toujours enfumé, on dirait que le temps s'est arrêté dans une atmosphère d'autrefois. Il est très difficile d'expliquer le métier de Maryame à ceux qui ne la fréquentent pas. C'est une « sorte de psychanalyste concrète » qui vous donne son avis sur les choses. Mon fils l'appelle la sorcière, Michel dit que c'est une rebouteuse, mes parents la trouvent folle, Julie pense que c'est un escroc de haut vol, moi je dis qu'elle me conseille. C'est très agréable, elle vous donne son avis sur tout, elle a toujours un point de vue très clair sur la façon dont vous agissez, elle se prononce catégoriquement sur les comportements des gens de votre entourage. Elle vous écoute très intensément, puis réfléchit à des solutions pour améliorer une situation qui vous fait souffrir, elle met en place des stratagèmes, par étapes, pour régler un conflit ou mettre à distance une personne qui vous fait du mal. Parfois elle ne sait pas vous répondre immédiatement, alors elle vous rappelle dans la journée.

Les règles de Marie-Amélie sont les suivantes : on paye à la minute, comme au parking. Elle délivre des ordonnances comme un docteur, que l'on est obligé de suivre, sans quoi on ne peut pas revenir à une prochaine séance. Elle vous donne conseils de tous ordres, pratiques, philosophiques, nutritionnels, ou comportementaux. Cela dépend. Elle peut vous ordonner de faire des choses aussi variées que : échanger avec votre mari vos places dans le lit, éteindre son portable après huit heures du soir, demander à votre mère de quoi est réellement mort votre père, arrêter de critiquer les défauts des autres, faire un acte de courage ou de générosité, appeler son frère sans raison précise, mieux payer sa femme de ménage, faire la liste de tout ce qu'on ne peut pas faire et faire vraiment la dernière chose inscrite sur la liste, arrêter de prononcer la phrase « Je suis désolée », boire plus d'eau, plus souvent, passer une journée entière dans la peau de son meilleur ami, agir comme on pense qu'il agirait, faire ce qu'on pense qu'il ferait, se présenter à ses nouveaux voisins, changer un meuble de son appartement, faire la cuisine pour ses parents, ne pas allumer les lumières chez soi pendant une semaine, passer le week-end au bord d'un lac, faire l'amour tous les jours pendant dix jours, puis abstinence pendant cinq jours, faire avec quelqu'un qu'on aime une chose qu'on n'aime pas faire, demander à son père qu'il vous fasse un chèque du montant qu'il estime représenter l'amour qu'il vous a donné, ne pas l'encaisser, essayer d'énoncer ses problèmes plus clairement, hiérarchiser, arrêter de manger des aliments de couleur rouge…, etc.

Évidemment, on peut trouver tout cela grotesque. Pour ma part, je ne vois pas en quoi ce serait plus fantaisiste que de raconter ses rêves, allongé sur un canapé, à un type qui refuse de vous parler. Maryame m'a beaucoup aidée, grâce à elle, j'ai arrêté mes sudations devant les valises et je peux prononcer ce mot à peu près normalement aujourd'hui. Et je connais même des gens qui lui doivent la vie.

Maryame dégage quelque chose de profondément triste qui a un effet vivifiant sur les gens qui la consultent. Elle vit seule, elle n'a pas d'enfant, elle n'enlève jamais ses lunettes noires, avec son foulard et son manteau elle donne l'impression de sortir d'un cimetière. La première fois que je suis allée consulter Maryame, elle me fit penser à Sophie Calle. Cette ressemblance m'a d'abord mise en confiance car elle établissait une forme de familiarité entre elle et moi. Mais au bout de quelques séances, j'ai commencé à flipper. Parce que j'ai pensé que c'était *vraiment* Sophie Calle. Et que nous étions en train de vivre une nouvelle expérience, pour sa prochaine œuvre. Ce doute devint rapidement une véritable obsession, mais je n'arrivais pas à le lui dire pour plusieurs raisons. D'abord je ressentais de la colère, car je m'étais livrée à elle avec la confiance que l'on accorde uniquement à une thérapeute. Je ressentais aussi, je dois bien l'avouer, une forme de fierté car j'allais faire partie de son œuvre que j'admirais infiniment, depuis l'adolescence. Et je ressentais pour finir de la peur. En lui révélant que j'avais compris la mascarade, n'allais-je pas faire rater l'ensemble de l'expérience ?

Pendant les séances qui suivirent, je fis des allusions appuyées à Sophie Calle, pour lui montrer que j'avais tout compris, que je n'étais pas dupe, mais que j'acceptais de faire semblant pour ne pas mettre en péril son œuvre. Mais Maryame ne réagissait pas à mes pièges. Au bout d'un moment, n'y tenant plus, je finis par trouver une autre façon de m'y prendre.

— J'ai l'impression que quelqu'un de mon entourage me ment, lui dis-je en prenant mon courage à deux mains.

— Quel genre de mensonge ?

— Je pense que cette personne se fait passer pour quelqu'un d'autre, ajoutai-je.

— Vous devriez lui poser franchement la question, me répondit Maryame.

— Très bien, dis-je en la regardant fixement. Alors je vous la pose.

— Pardon ?

— Oui. Je vous la pose à vous.

Je lui expliquai alors que je l'avais reconnue, que j'avais compris depuis le premier jour le processus créatif dans lequel nous étions embarquées, que j'étais très flattée d'être un protagoniste de son œuvre, mais après avoir longuement réfléchi aux conséquences d'un tel aveu, je m'étais sentie obligée de lui dire la vérité, car après tout j'étais aussi une artiste. Maryame resta silencieuse un moment. Elle prit une feuille de papier pour m'écrire une ordonnance. Avant de me la donner, elle me posa la question suivante :

— Vous n'avez pas remarqué quelque chose ?

— De quel ordre… ? bafouillai-je.

— Regardez-moi bien.

— Oui. Je vous regarde.

— Je suis noire…, me dit-elle en articulant tous les mots.

— Et alors ? lui répondis-je, vexée.

Ce fut la seule fois que Maryame me parla d'elle, comme pour me prouver qu'il ne s'agissait pas du tout d'un travestissement. Elle me raconta son enfance en Bretagne, chez un couple de charcutiers traiteurs qui l'avaient adoptée quand elle était bébé. Mais elle était née à Fort-de-France de parents martiniquais. Voilà. Elle n'avait aucun rapport, de près ou de loin, avec Sophie Calle. Puis elle me tendit son ordonnance sur laquelle était écrit : consulter un psychiatre.

— Mais je veux rester avec vous ! me défendis-je.

— Je crois que vous avez besoin d'une thérapie plus classique.

— C'est un concours de circonstances ! m'exclamai-je. Je vous promets que c'est la première fois que cela m'arrive ! Je vous assure que je ne suis pas paranoïaque ! Au contraire ! Je suis pronoïaque !

— C'est-à-dire ?

— J'inverse. La pronoïa, lui expliquai-je, peut être définie comme une philosophie, ou une sorte de névrose inversée, basée sur la croyance qu'il existe des conspirations positives. Ainsi j'ai souvent l'impression que, malgré les apparences, les éléments s'organisent pour, et non contre moi. Par exemple, si je rate un train, je me dis que je ne devais pas le prendre, évitant ainsi une mauvaise rencontre. Si je ne suis pas invitée quelque part, je me dis que je me serais sans doute beaucoup ennuyée et que j'avais mieux à faire !

Cette explication la fit rire, je sentis que je commençais à l'attendrir alors je la suppliai à genoux de me garder. Je n'avais pas envie de me retrouver face à un psychanalyste muet qui ne me donnerait jamais de conseils. J'avais besoin d'elle, elle n'avait pas le droit de me laisser tomber sous prétexte que j'avais fait une erreur d'appréciation. À la fin de la séance, Maryame accepta de me revoir, à condition que je me tienne à carreau dorénavant. Je lui promis de ne jamais plus la prendre pour quelqu'un d'autre et c'est ainsi que je suis restée sa patiente, depuis plus de quatre ans maintenant.

— Comment tu vas ? me demanda Maryame avec cette modulation plutôt grave, sans insistance, que l'on prend avec les personnes qui nous sont très familières.

— Très mal, lui répondis-je avant de m'effondrer sur mon siège.

En lui faisant le récit de mon aventure avec Georgia, je me rendis à l'évidence que, depuis deux jours, ma vie avait pris un drôle de cours. Des événements s'entrechoquaient les uns avec les autres, formant un mouvement qui semblait me mener quelque part. Mais où ?

Maryame me posa de nombreuses questions, auxquelles j'essayais de répondre le plus précisément possible. Elle en conclut que je n'avais pas beaucoup de choix si je voulais retrouver Georgia. Il fallait que je retourne dans cet hôtel où nous nous étions rencontrées puisqu'elle semblait y séjourner régulièrement. Je devais déposer un nouveau mot, avec mes coordonnées, car si le premier s'était égaré, il faudrait vraiment jouer de malchance pour que le second se perde aussi. Elle me conseilla de reprendre contact avec François, le serveur du bar, qui pouvait être mon confident et allié dans cette histoire. Il accepterait peut-être de me trouver son nom de famille.

— Ensuite, il faut attendre, conclut-elle.

— Je sais, dis-je sans masquer ma déception.

— Réfléchis… elle ne t'a pas donné d'autres éléments qui pourraient te permettre de la retrouver ?

— Si ! Elle m'a parlé d'une femme qui tient un restaurant à Venise.

— Appelle-la. Elle te donnera sans doute son numéro de téléphone.

Mon cœur se mit à battre comme si je reprenais vie, je compris soudain que depuis le début je tenais mon sésame sans le savoir. J'avais

considéré cette Véronique comme mon enne-
mie, alors qu'en fait, elle était mon alliée.
Maryame avait raison, mais c'était si simple que
je n'y avais pas pensé. Elle me fit mon ordonnance et me demanda trente euros en liquide
puisque nous avions parlé une demi-heure. Sur
le papier qu'elle me tendit, il était écrit : manger
du poisson et plus jamais revenir me voir avant
d'avoir retrouvé Georgia.

— Et si je ne la retrouve jamais ? lui demandai-
je, interloquée.

— Alors c'est la dernière fois que nous nous
voyons, dit Maryame avec autorité.

Je ne comprenais pas la violence de cette dernière injonction. Que voulait-elle éprouver ? Ma
sincérité ? L'importance de notre lien ? Mettre
en lumière l'absurdité de ma quête ?

— Tu connais la règle, dit Maryame pour me
congédier.

Et je n'eus que le temps de lui dire au revoir.

À mon retour, les enfants me firent un compte
rendu de toutes leurs vaines tentatives pour
retrouver la trace de Germain. Je les félicitai
pour tant d'imagination mais je m'en foutais
complètement, j'avais besoin de commencer ma
recherche du restaurant sur internet et surtout
de me détendre, alors je proposai aux enfants de
boire un bon verre de vin en attendant Marie,
qu'ils refusèrent car ils avaient trop de devoirs à
terminer. À treize ans, je buvais et fumais à table
avec mes parents, tandis qu'au même âge, Sylvain

s'inquiète des conséquences que le tabagisme passif pourrait avoir sur la future chute de ses cheveux dans quarante ans. J'ouvris tout de même la bouteille avant de leur arracher l'ordinateur des mains. En quelques secondes, apparut devant mes yeux le site de Il Francese, à Venise. Il ne comportait qu'une seule page dont la dernière mise à jour devait dater du début des années deux mille. Je scrutai la photographie de la fameuse Véronique, que je trouvais fade, commune et sans intérêt – mais c'est vrai qu'avec un tablier noué autour de la taille, on a toujours l'air un peu prisonnier de quelque chose. Quel mystère, quel secret cachait cette femme pour que Georgia s'y attache ? Je téléphonai sans attendre au numéro qui s'inscrivait dans la rubrique des informations pratiques. Mais le téléphone sonna dans le vide. Longtemps. Ils n'entendent pas, pensai-je, ce doit être le début du service.

C'est à ce moment-là que mon interphone retentit.

Marie fit son entrée dans l'appartement, avec le visage radieux d'une jeune mariée. À son bras se tenait Germain. Ils étaient timides, beaux et solennels comme à l'entrée d'un temple. Les enfants les applaudirent en criant des hourras et Marie s'assit telle une reine dans le salon pour nous expliquer l'heureux dénouement.

Un professeur de l'Institut des non-voyants avait repéré Germain dans la foule. Cet homme avait l'habitude de secourir des lycéens ou des collégiens égarés sur la route de l'institut, qui se trouve juste en face de la sortie du métro. Le professeur ramena Germain chez la directrice du lycée, qui téléphona chez Marie, et son fils avait répondu. De son côté, Marie avait eu le pressentiment qu'elle devait téléphoner à André pour lui expliquer la situation, ce qu'elle avait fait de chez Carlos. Voilà comment tout ce beau monde avait fini par se rejoindre.

Les retrouvailles furent très joyeuses. Tout d'abord, nous allâmes chez Thierry, afin de regarder le Journal de vingt heures sur son poste de télévision. Le reportage concernant « Mademoiselle » dura presque trois minutes, mais ils n'avaient gardé qu'une seule phrase de toute l'interview que j'avais faite. Pour le reste, c'étaient des images de son défilé, ainsi que des mannequins portant sa lingerie. Le présentateur cita tout de même mon nom à l'annonce du reportage et tout le monde m'applaudit. Cela faisait bizarre d'entendre son nom prononcé au journal télévisé… De retour dans notre appartement, nous décidâmes que les provinciaux dormiraient sur le canapé-lit avant de prendre le train le lendemain matin, avec de l'argent que Marie me rembourserait dès que possible. Tout le monde fut pris d'une sorte d'enthousiasme, comme si nous étions au début de quelque chose, on ne savait pas encore quoi, mais c'était pourtant bien là.

On prépara le lit et le dîner dans une grande agitation joyeuse. Je regrettais que Julie ne soit pas là, pour une fois que je recevais des gens à la maison, ce dîner improvisé l'aurait enchantée, elle nous aurait fabriqué des miches de pain au sésame qui auraient embaumé dans tous les escaliers et un gâteau au chocolat blanc. Elle aurait aimé entendre Germain, répondre à toutes nos questions sur sa vie de non-voyant – la directrice de l'institut leur avait dit de préférer ce terme plus doux. Parfois, Germain avait quelques difficultés pour s'exprimer, sa voix faisait des soubresauts et s'essoufflait au milieu d'un mot, comme quelqu'un qui, n'ayant pas marché depuis longtemps, faiblirait sous le poids de son corps dès les premiers pas. Mais sa pensée en revanche était claire et précise. Nous étions curieux de lui, même si, au début, nous n'osions pas y aller franchement. C'est lui qui nous encouragea à poser toutes les questions qui nous traversaient l'esprit. Pour ma part, ce qui m'intéressait particulièrement, c'était de parler des couleurs. Je lui demandai comment il les percevait. Germain nous expliqua que seul le rouge apparaissait clairement dans son esprit grâce à quelques associations qui lui permettaient de faire marcher son imagination : prompt à rougir et sentant alors ses joues devenir brûlantes, il accorda à cette couleur les attributs de la chaleur. Puis il nous précisa qu'il s'imaginait l'œil fonctionner comme une main, si bien qu'il accordait à la vue les mêmes propriétés que le toucher. De même que la paume qui enserre un objet entre en contact avec toute sa surface, le regard, pensait-il, devait être capable de saisir l'entièreté d'un objet. Germain avait du mal à imaginer que l'on puisse voir certaines parties d'une chose, mais pas les autres parties simultanément, de même que la notion d'horizon le troublait particulièrement.

Ce qu'il avait le plus de mal à se figurer, c'était tout ce qu'il ne pouvait pas toucher. Un jour, nous donna-t-il en exemple, il fut surpris de sentir quelque chose fouetter violemment sa peau, comme des dizaines de petites particules volantes et coupantes. Ce choc, répété à plusieurs endroits de son visage, était celui des flocons de neige qui semblaient voler dans le ciel comme des animaux, ballottés çà et là par le vent, se posant sur le sol pour disparaître. Ils étaient impossibles à garder dans la main, et pourtant, ils frappaient son visage. Il y avait là un véritable mystère puisque quelqu'un lui avait expliqué que la neige était une chose blanche qui tombait du ciel et faisait disparaître du paysage tout ce qui se situe au lointain, ainsi que toutes les couleurs pour n'en laisser vivre qu'une seule. Pourtant Germain ne pouvait comprendre ni le blanc, ni le ciel – qu'il imaginait comme une coquille lumineuse qui reposerait en demi-cercle sur nos habitations, au-dessus de nos têtes, un immense couvercle, mais qu'on lui présentait parfois au contraire comme une chose plate, sorte de mer inversée, qui pouvait aussi changer d'humeur, provoquer des tempêtes, et vivre aussi violemment ou calmement que la surface de l'eau.

Germain nous parla de la nuit. De nos démarches et des odeurs. De notre voix comme d'une silhouette. Il expliqua son goût pour le téléphone, car dans cette situation, son interlocuteur est tout aussi non voyant que lui, obligé de restituer un monde à l'autre bout du fil.

— Si vous voulez vous imaginer les efforts que nous faisons pour reconstituer le monde, disait-il, pensez à ce que vous faites quand vous téléphonez. Nous sommes tous des non-voyants au téléphone, attentifs aux bruits, à un accent, à une façon de prononcer les phrases, à un certain vocabulaire, pour imaginer un âge, pour nous figurer mentalement un visage.

Avant de débarrasser la table, j'allai chercher mon Polaroïd, pour prendre une photographie de nous cinq. Germain m'avait demandé en quoi consistait le fait de fixer des images – et quel en est l'intérêt. Alors je voulais qu'il puisse toucher le résultat avec ses doigts et lui décrire le processus de la photographie apparaissant doucement dans le carré de papier. D'abord ce ne furent que des ombres, des taches auréolées, floues – qui correspondaient, songeai-je, à ce que Germain nous décrivait de sa « vision » de non-voyant. Puis nos silhouettes apparurent, doucement, de plus en plus précises, nettes, nos cinq corps dans la cuisine. Les habits les plus clairs ressortirent en

173

premier, puis la table, qui était blanche, émergea sur le papier, et enfin surgirent nos cinq visages souriants.

Figurez-vous que quelqu'un vous montre une image en disant que c'est une photographie de vous, qui sera prise dans quelques jours. Vous prenez la photographie. Vous la regardez attentivement. Mais… vous ne comprenez rien de ce qui s'y passe. J'étais à ce moment précis de ma vie où, si quelqu'un m'avait montré ce Polaroïd, à la femme que j'étais il y a encore quelques jours, j'aurais approché l'image de mon nez pour l'observer plus attentivement. J'aurais été très surprise. Certes, j'aurais reconnu mon fils et sa petite amie. Puis je me serais demandé : « Qui sont ces deux inconnus qui dînent chez moi ? » Mais ce qui m'aurait le plus surprise sur cette photographie, ce qui m'aurait presque dérangée par son caractère inattendu, ce n'est pas la présence d'un jeune homme avec des lunettes noires dans ma cuisine, mais de voir le bras de mon fils passé autour de mon épaule – me serrant contre lui en souriant.

Victoria

Les heures s'allongeaient, durant lesquelles il ne se passait rien. Parfois, je me levais pour téléphoner au restaurant Il Francese, mais cela sonnait toujours dans le vide. J'insistais, puis je me rendais à l'évidence, leur numéro avait changé – ou leur téléphone était cassé. Pourtant j'insistais de nouveau. Je ressentais une douleur dans le ventre, une douleur parfois lancinante, parfois excessive – mais qui jamais ne m'abandonnait tout à fait. Les nuits étaient pires encore.

J'avais suivi le conseil de Maryame. J'étais retournée à l'hôtel, où malheureusement le concierge se souvenait très bien de moi. Il m'assura qu'il avait donné mon mot avec mes coordonnées, en main propre, à Georgia. Je n'en sus pas davantage car François ne travaillait pas au bar ce jour-là. Je rentrai à la maison comme une âme en peine. Ce qui me faisait souffrir, ce n'était pas tant l'absence de Georgia – au fond je l'avais si peu connue que je ne m'étais pas habituée à sa présence –, ce qui m'abîmait, c'était de devoir abandonner l'idée d'elle. Cette idée rendait ma vie plus intense, elle était devenue l'intention cachée de chacun de mes gestes, de chacune de mes pensées. Je devais réussir ce concours pour elle, je devais faire de bonnes photographies pour elle, je devais arrêter les petits boulots alimentaires pour elle, je devais repeindre mon appartement et classer tous mes papiers pour elle, je devais passer plus de temps avec mon fils pour elle. Grâce à elle, j'allais devenir quelqu'un de meilleur. Georgia me donnait du courage et de l'enthousiasme pour accomplir des choses. Depuis que je l'avais rencontrée, je vivais chaque moment de mon existence en les adressant à Georgia. Sans elle, je n'avais même plus envie de me brosser les dents. À quoi bon.

Heureusement, Thierry sonna à ma porte pour m'annoncer la bonne nouvelle, Julie quittait l'hôpital. Les médecins trouvaient qu'elle allait bien mieux et, ce dont elle avait besoin, pour compléter son traitement, c'était de soleil, de chaleur et de promenades dans les Calanques. Il emmenait sa femme se reposer quelques jours dans un hôtel à Marseille. Thierry me proposa de lui rendre une dernière visite avant leur départ.

— Elle prend un nouveau médicament qui la rend un peu agressive, je dis ça pour te prévenir… Et sinon, prends-lui des livres, cela lui fera plaisir, précisa Thierry.

J'étais si heureuse que je plongeai immédiatement dans ma bibliothèque. Cela me rappelait
le temps où je choisissais minutieusement les
livres que je lisais à mon fils pour qu'il s'en-
dorme. J'accordais une grande importance à ces
récits extraordinaires qui nourrissaient son imaginaire de petit garçon. Et puis un jour, je me
suis rendu compte que toutes les histoires qui
imprégnaient son cerveau mettaient en scène
des héros exclusivement masculins. Absolument
toutes, sans exception. Au fond, j'étais en train
de former son esprit à l'idée que les femmes ne
sont jamais les personnages héroïques, ce ne
sont jamais elles qui mènent l'action.

Dans un second temps, je me suis fait la réfle-
xion que tous ces livres que je lui lisais le soir
étaient justement ceux que les adultes m'avaient
lus quand j'avais son âge. Mon plaisir de mère
résidait précisément dans le fait de perpétuer ces
lectures, de retrouver dans ma bouche les mots
que j'avais entendus autrefois dans celle de mes
parents. Je pris alors conscience que mon imaginaire de petite fille avait été ainsi modelé par
des héros uniquement masculins. Que ce soient
les chevaliers de la Table ronde, les dieux de la
mythologie grecque, les héros de la Bible, ceux
des contes de Bretagne ou du Japon… toutes ces
légendes m'avaient conduite à m'identifier à un
autre sexe que le mien. Car contrairement à ce
que l'on peut – ou veut – penser, une petite fille
de cinq ans à qui l'on raconte l'*Odyssée* ne

s'identifie pas à Pénélope, elle n'a aucune envie de s'ennuyer à mourir en détricotant la nuit ce qu'elle a tricoté le jour. Non, les petites filles rêvent d'être Ulysse. Elles veulent aussi combattre des monstres et inventer des stratagèmes pour écouter le chant des sirènes. Nous avons façonné nos cerveaux naissants avec les mêmes nourritures, sur les mêmes modèles que ceux des hommes. Il n'y a pas de raison, nous aussi, nous nous reconnaissons comme appartenant à la famille des héros, nous appropriant les valeurs chevaleresques de l'amitié et de l'honneur. Et puis un jour – ce jour-là arrive assez vite – on nous explique que nous devons aussi être des femmes. Plus des aventuriers. Alors une tristesse s'abat sur certaines d'entre nous. Pour d'autres, heureusement, c'est une joie. Mais pour toutes, c'est un nouveau chemin que nous devons prendre. Un nouveau voyage. Nous avons passé notre petite enfance à nous identifier à un sexe et puis soudain nous devons changer pour revêtir un autre sexe que le nôtre. Toutes les petites filles accomplissent cette métamorphose, pour découvrir d'autres paysages, d'autres valeurs, celles de la douceur, de la fragilité, de l'humilité, du calme et de l'élégance... Or, c'est un déplacement que la plupart des petits garçons ne feront pas.

Lorsque je suis arrivée à l'hôpital, avec un sac rempli de livres, Julie avait encore été transférée à un autre étage. Elle m'apparut comme lyophilisée, on avait l'impression que quelqu'un avait pompé l'eau de son visage. Mais je n'eus pas le temps de lui en parler car Julie se mit tout de suite en colère. Elle venait de recevoir la visite d'une de ses collègues de travail, une certaine Victoria, qui l'avait rendue furieuse.

Elle est venue me narguer ! m'expliqua-t-elle. Victoria dirige une équipe de dix personnes dans leur entreprise, elle a quatre enfants – tous nés par voix basse me précisa Julie – qui lui obéissent au doigt et à l'œil car de toute façon le monde entier obéit à Victoria parce que Victoria fait du tennis le dimanche, Victoria porte des pulls en cachemire qui tombent de son épaule et laissent apparaître la bretelle fine d'un soutien-gorge en soie, Victoria a de beaux seins et elle parle avec un accent qui rend les hommes fous car elle est espagnole.

— Oh… moi je préfère l'accent italien, osai-je pour que Julie reprenne sa respiration.

— Mais ça, évidemment, me dit Julie, malgré tous mes efforts, je ne pourrais rien y faire.

— Faire quoi ?

— Parler avec l'accent espagnol ! La seule solution, ce serait de m'installer dans un autre pays, pour que mon accent français devienne exotique. Je pourrais tout plaquer pour l'Espagne, me dit-elle en beurrant du pain car j'étais arrivée en plein déjeuner, puis elle eut un rire forcé. Ah ah ah, fit-elle en regardant sa tartine comme si elle se moquait d'elle.

— Tu veux que je rencontre Victoria pour mon concours ? lui demandai-je.

— Si tu fais ça, je te tue, menaça Julie en pointant son couteau à bout rond dans ma direction.

Mais je lui expliquai que c'était une blague. De toute façon, je ne voulais plus entendre parler de ce concours.

— Ah, évidemment. Toi tu commences toujours les choses, mais tu les finis jamais.

— Ce n'est pas ma faute ! Aucune femme parfaite n'accepte d'être photographiée !

— C'est que tu sais pas trop t'y prendre à mon avis, me dit-elle.

— Et puis mon appareil est cassé.

— Tu en as d'autres…

— Des numériques, c'est pas pareil.

— Moi j'ai une idée géniale pour ton concours, m'annonça-t-elle fièrement. Avec ça, c'est sûr que tu vas gagner.

Julie m'expliqua que je devais réaliser un montage de photographies en découpant des vieux *Paris-Match*. Je devais choisir des images qui montrent des mannequins, des actrices en vacances, en maillot de bain sur la plage, affichant à quarante-cinq ans des corps inchangés par leurs grossesses. Des images où l'on voit ces femmes porter leurs nouveau-nés à bout de bras, comme si elles avaient l'âge de la babysitter. Il faudrait aussi que je découpe des portraits de femmes vantant les joies de l'âge mûr, mais dont les visages sont entièrement retouchés sur ordinateur. Ainsi que des interviews de femmes politiques, ou chefs d'entreprise, qui tombent enceintes de leur premier enfant à cinquante ans, faisant croire aux lectrices que nos corps n'ont plus de limite d'âge grâce à la médecine moderne. Toutes ces images de femmes que l'on nous impose comme des modèles, alors que ce sont en réalité des mensonges, ou des exceptions de la nature érigées en norme.

— Tu ferais un collage de toutes ces images, et ensuite, tu les aspergerais de peinture rouge, comme des explosions de sang. Pour représenter la lente et sourde souffrance des femmes, conclut Julie, plutôt contente d'elle.

— C'est nul, lui répondis-je, catégorique. Je vais jamais gagner avec ça.

Vexée, Julie regarda les différentes couvertures des livres que je lui avais apportés en faisant une moue dédaigneuse. J'avais choisi plusieurs biographies de femmes artistes, dans l'idée de lui donner du courage, l'envie de se battre. Alors elle leva les yeux au ciel et m'expliqua :

— Toi tu te crois au-dessus des autres parce que t'es « artiste ». Tu crois que t'es le dernier modèle de femme libre dans le monde moderne. Mais on vit sous la tyrannie du monde artistique, ma vieille. Les voitures portent des noms de peintres, les cuisiniers sont des artistes culinaires, les jardiniers des artistes paysagistes, les publicitaires des créateurs… pas un seul enfant qui ne crie sa rage au monde dans ses chansons, pas une seule petite fille qui ne rêve d'être actrice, poussée par des parents ravis, parce qu'ils auraient honte de dire que leur fille aînée rêve d'être dentiste.

— Je ne me proclame pas artiste, je suis simplement photographe, c'est mon métier, nuançai-je.

— Tu te crois maligne, avec ton appareil en bandoulière ? Mais même madame Duchemolle photographie sa vie mieux que toi sur les réseaux sociaux ! Tu sais ce que c'est la vraie marginalité ? Ne pas être référencé sur Google. Ne pas se montrer. Le vrai marginal, c'est un homme comme Michel, avec ses costumes en velours, sa collection de faïences et ses rêves de pharmacien. C'est lui l'antisocial. Il n'a pas de téléphone portable parce qu'il en a rien à foutre d'être joignable. La société d'aujourd'hui le rejette, le trouve ringard, mal habillé, pas connecté, pas baisable et pas admirable. Mais c'est lui le véritable héros de l'histoire contemporaine. Tu verras qu'un jour, ce seront des hommes comme lui qu'on célébrera. Aujourd'hui tout le monde met en scène sa vie dans le seul but que cela soit « cool » sur les photos. Mais ce n'est pas plus intéressant que les générations précédentes qui voulaient que tout soit « joli » dans le cadre. On est passé d'une dictature du bon goût à la dictature du bon mauvais goût. Mais c'est exactement la même démarche. C'est pas ça, être libre. Être libre c'est faire des choses sans être regardé.

J'étais vraiment contente : Julie était de retour

parmi nous. Alors je lui répondis qu'elle y allait un peu fort mais que Thierry m'avait prévenue. Elle avait intérêt à se remettre sur pied très rapidement, parce que sinon, je viendrais à Marseille la chercher par la peau des fesses pour la ramener dans la pollution parisienne. Avant que je la laisse à l'infirmière qui venait d'entrer dans la chambre, Julie m'expliqua qu'elle avait compris, en quelques jours dans cet hôpital, ce qu'était la folie :

— La folie, me dit-elle, c'est de faire toujours la même chose, mais en espérant qu'un jour il y ait un résultat différent.

Maud

Trois heures plus tard, j'entrai dans la pharmacie de la place du Châtelet, la plus grande pharmacie d'Orléans, tenue depuis presque vingt ans par Michel. Les portes en verre glissent devant vous silencieusement, deux grandes portes toujours impeccablement propres, sur lesquelles on peut lire « Pharmacie du Châtelet » décoré d'un majestueux caducée. À l'entrée, deux écrans de télévision s'inclinent sur votre passage, en diffusant des reportages sur les meilleures méthodes d'élimination des poux ou des mises en garde contre le tabac – les écrans sont placés de telle sorte qu'il est impossible d'entendre ce qui s'y raconte mais Michel m'expliqua un jour qu'une télévision est faite pour être vue de l'extérieur, pas pour qu'on l'écoute une fois à l'intérieur, car cet objet rassurant et attirant donne envie aux passants d'entrer dans un magasin. Et c'est tout ce qu'on lui demande. Ayant traversé les portes coulissantes, puis dépassé les écrans de télévision, le client découvre enfin la pharmacie du Châtelet, la blancheur de ses murs et de son carrelage, qui permet, par contraste, de mettre en valeur les emballages exposés le long des rayonnages. Les savons trônent sur un reposoir central comme des fruits sur un étalage de supermarché, diffusant dans le magasin leur fort parfum de lavande aux vertus apaisantes. Les rayons sont immenses, mais on se repère aux codes chromatiques. Les shampooings attirent immédiatement l'œil avec leurs emballages vert chlorophylle ou bleu électrique, les tubes jaunes indiquent les crèmes solaires, les tubes blancs décorés de lisérés pâles indiquent les soins dermatologiques, etc. J'ai passé tant de temps dans cette pharmacie, que je connais l'emplacement de chaque produit par cœur et même les posologies des médicaments – si un jour j'arrête de photographier des salariés d'entreprise, je pourrai toujours trouver une place d'assistante dans une officine et devenir, selon les théories de Julie, une vraie marginale.

Michel fut surpris de voir ma tête apparaître dans la queue des clients.

— Tu as besoin de quelque chose ? me demanda-t-il en me montrant une nouvelle gamme de protections solaires.

— Cinq cents euros, dis-je en chuchotant pour que Jenane ne m'entende pas.

— Ah bon, mais pour quoi faire ? demanda Michel en se penchant à son tour sur le comptoir.

— C'est pour aller à Venise, lui répondis-je. Tout de suite.

— Tu voudrais pas plutôt un tube de crème ?

— Je rigole pas, Michel. C'est grave.

Michel demanda à Jenane de le remplacer à la caisse, puis il me fit passer derrière pour m'emmener dans l'arrière-boutique, là où les médicaments sont rangés par ordre alphabétique dans de grands tiroirs gris. Pendant que Jenane s'occupait des clients, Michel s'assit sur le marchepied en plastique pour écouter mon problème.

Je lui racontai tout. La rencontre avec Georgia, la nuit que nous avions passée ensemble, le concierge qui n'avait pas voulu me donner son nom de famille, mes tentatives pour retrouver sa trace sur internet, le téléphone du restaurant Il Francese qui sonnait dans le vide... Michel écouta sans rien dire, jusqu'à établir la même conclusion que moi : je devais partir pour Venise sur-le-champ. Avant de devenir complètement folle.

— Mais pourquoi veux-tu absolument retrouver cette Georgia ? me demanda-t-il, soudain interloqué.

— Je vais te répondre très précisément car je me suis posé la même question. D'abord je crois que grâce à elle, je peux gagner mon concours. Tu me diras : pourquoi ? Alors voilà. Je crois au fond que les gens ont une idée très précise de la façon dont ils se représentent l'accomplissement d'une certaine réussite. Ils se disent : si un jour j'arrive à m'acheter cette maison. Ou si un jour j'écris ce livre. Ou si je termine cette course à pied. Eh bien moi, depuis que j'ai rencontré cette femme, l'image très précise que je veux réussir à construire dans ma vie, c'est une photographie où Georgia et moi nous sommes réunies. Et je suis persuadée que si je réussis, j'en ferai une photographie particulière, meilleure que les autres. Et que cette image-là peut changer ma vie entière.

Silencieusement, Michel se dirigea dans le fond de la pharmacie. Il ouvrit une grosse caisse en fer, avec une clé qu'il portait autour du cou. Il en sortit plusieurs billets de cent euros qu'il comptait minutieusement entre ses doigts.

— Mais j'ai pas besoin de tout ça ! lui dis-je.

— Je viens avec toi, répondit Michel sur un ton qui n'autorisait aucune contestation.

C'est ainsi que je me suis retrouvée sur l'autoroute, avec le père de mon fils, en direction de l'aéroport d'Orly. Michel laissa à Jenane le soin de fermer la pharmacie. Nous lui expliquâmes la situation et je crois avoir aperçu, dans le regard troublé que Jenane posa sur Michel, quelque chose comme de l'estime, peut-être même de l'admiration. Sur la route, nous téléphonâmes à Sylvain, pour lui expliquer que nous partions deux jours en Italie. Michel était très solennel alors je lui arrachai mon portable des mains pour préciser à notre enfant :

— C'est pour du travail. Tes parents ne se remettront jamais ensemble.

Michel me regarda, effaré. Je rétorquai que les enfants de divorcés espèrent toujours que leurs parents se remettront un jour ensemble et qu'il ne fallait pas donner de faux espoirs à notre fils. En arrivant à l'aéroport, je dus m'avouer que j'avais de la chance de voyager avec Michel, car c'est à lui seul une agence de voyages. Il a un tel sens de l'organisation qu'il est capable de réserver une chambre d'hôtel, une table pour le meilleur restaurant de la ville et des billets pour l'entrée du musée Peggy-Guggenheim en un tour de main.

Nous n'avions pas de bagages à déclarer, ce fut rapide, le premier vol pour Venise nous permettait d'arriver au restaurant Il Francese juste avant sa fermeture. De toute façon, nous n'y allions pas pour dîner mais pour soutirer des informations à la propriétaire. Il y avait du monde à l'aéroport, sans doute parce que nous étions un vendredi soir et, pendant que nous attendions l'ouverture de l'enregistrement, Michel voulut comparer ses prix avec ceux de la pharmacie de l'aéroport. Dans la foule, mon œil fut attiré par un homme qui parlait au téléphone en faisant de grands gestes – un Italien sans doute, qui portait un costume en laine grenat, avec une pochette rose qui n'était pas assortie au rouge du costume mais à la ceinture, d'un rose incarnat, presque saumoné. Ses mocassins, lie-de-vin, semblaient confectionnés dans un cuir d'une souplesse de gymnaste. Je me demandais ce qu'il pouvait bien raconter, mais je ne pus m'approcher de lui car Michel revint avec une pile de magazines et des guides sur Venise plein les bras, j'eus beau lui expliquer que nous n'y allions pas pour visiter la ville :

— Oh ! mais moi j'irai voir les verres de Murano, ma petite.

Puis l'homme en costume grenat disparut, avalé par un groupe de touristes japonais, alors j'eus une pensée pour Yuko, avant de plonger le nez dans le magazine féminin que Michel m'avait acheté. La fille sur la couverture portait une chemise blanche, monacale, qui lui arrivait en haut des cuisses. Mais curieusement, rien en bas. Au premier coup d'œil, on avait l'impression qu'elle avait oublié de mettre un pantalon, un peu comme dans ces cauchemars où l'on se rend compte, une fois dans le métro, qu'on est sorti de chez soi en soutien-gorge. Pourtant le magazine titrait : « *Les cinquante femmes les mieux habillées du monde* ». Intriguée, je feuilletai les pages de l'article mais il n'y avait aucun doute, clairement, toutes ces femmes soi-disant élégamment habillées, l'étaient en dépit du bon sens et de ce qui convenait à leur morphologie – on aurait pu aussi bien titrer l'article « *Toutes ces femmes sont folles* », cela marchait aussi.

— Tu remarques rien ? demandai-je à Michel en lui montrant certaines pages.

— Ce sont des publicités…

— Tu trouves pas qu'il y a quelque chose de bizarre dans toutes ces pages ?

— Je vois pas, répondit Michel.

— Qu'elles vendent du shampooing ou des voitures, tu remarqueras que les femmes ne sourient pas normalement.

— C'est quoi sourire « normalement » ?

— Dans la vie, quand je suis particulièrement contente d'enfiler mes collants ou de manger un morceau de gruyère, j'ai pas cette tête-là.

— Faut dire que tu souris pas souvent.

— Concentre-toi, Michel. Là, les lèvres entrouvertes, et là, le regard mi-clos, les narines dilatées… Cela ne te fait pas penser à quelque chose ?

— Non…, dit Michel qui ne voyait pas du tout où je voulais en venir.

— Regarde, lui dis-je, en mettant ma propre bouche en cul de poule et en posant mon index sur la joue.

— T'as mal aux dents ? s'inquiéta Michel.

— Mais non ! J'imite une fille en train de jouir ! Regarde cette photo. Tu crois que les femmes font naturellement cette tête-là quand elles se parfument ? Tu comprends pas que la publicité demande à toutes ces femmes d'offrir aux lecteurs le visage intime de leur jouissance !

— Mais m'engueule pas, répondit Michel. Pourquoi t'es en colère ? C'est pas ma faute.

— Quand on y pense, toutes nos rues sont placardées d'orgasmes féminins.

— T'exagères…

— Imagine trente secondes l'inverse ! Des villes entières parsemées d'affiches où l'on t'imposerait des hommes avec les veines du cou gonflées, la bouche grimaçante, les yeux exorbités, tellement heureux d'essayer leur nouveau jean qu'ils sont sur le point d'éjaculer. T'en aurais pas marre au bout d'un moment? Franchement?

— Je déteste quand tu es vulgaire, me dit Michel en me regardant avec un peu de peine.

Il se demandait à présent s'il avait fait le bon choix en m'accompagnant à Venise. Et si je n'étais pas en train de débloquer complètement.

— Je suis content d'être avec toi, tu sais, me dit-il gentiment en posant sa main sur la mienne, pour me calmer.

— Les passagers du vol AF634 en direction de Venise sont invités à se présenter à leur porte d'embarquement, susurra l'hôtesse de l'air.

Mon cœur se mit à battre, comme si Georgia m'attendait tranquillement, assise à l'intérieur. En pénétrant dans l'avion, j'aperçus l'homme au costume grenat, assis au premier rang. Comme sorti d'un roman, on aurait dit un prince vénitien, sa peau brillait légèrement sous l'effet d'une pommade aux herbes qui sentait le thym jusque dans le cockpit, une peau rasée de frais, qu'on devinait très douce. Il portait des lunettes de soleil aux verres fumés, posées sur son magnifique nez d'aigle. Il paraissait dix ans de moins que son âge, mais je n'aurais su dire lequel. Michel et moi rejoignîmes notre place au fond de l'appareil ; c'était un peu étrange de se retrouver ainsi replongés des années en arrière, comme lorsque nous étions mari et femme. Je bus une mignonnette de whisky cul sec et fermai les yeux avec l'intention de ne les rouvrir qu'une fois arrivée. Mais Michel était d'humeur à bavarder et je pouvais difficilement, étant donné les circonstances, lui demander de se taire. C'était mon mécène après tout. Je devais faire un effort, particulièrement au début du vol, car Michel fait partie de ces gens que les décollages en avion angoissent.

— Tu veux que je te raconte la première fois que j'ai eu un orgasme ? proposai-je, vexée qu'il n'ait pas reconnu mon imitation tout à l'heure.

— Pas particulièrement, mais bon, si ça te fait plaisir, et ça me changera les idées, répondit Michel.

J'avais dû m'exprimer un peu fort parce que la dame assise devant nous s'était retournée en entendant ma question. Je lui fis un signe d'excuse et commençai mon récit en chuchotant.

— Mes parents, lui dis-je, étaient figurants dans un grand spectacle sur l'Europe dont les dernières représentations avaient lieu au théâtre antique de Delphes. Ils avaient décidé que nous passerions ensuite nos vacances en Grèce, sur une petite île des Cyclades où ils louèrent une maison blanche et vide, dans laquelle il n'y avait rien, mais vraiment rien, pas d'assiettes, pas de couverts, pas de savon, pas même une bougie ou une serviette de bain. En revanche, dans ma chambre, se trouvait un dictionnaire français que je feuilletais tous les soirs en m'endormant – fallait-il que je m'ennuie. C'était un Petit Larousse illustré, dont la couverture en cuir, bleu pétrole, était décorée d'un ruban doré dessinant élégamment la lettre L. Un soir, par le plus grand des hasards, je tombai sur le mot « masturbation », qui m'intrigua beaucoup plus que ces voisins, « mastroquet » et « masure ». Je relus sa définition plusieurs fois de suite, ainsi que toutes celles, aussi peu claires, des mots « stimulation », « manuelle » et « organes génitaux ». Je n'y comprenais rien, mais je pressentais que la proposition était intéressante.

— Bon. Et tu connais la suite, dis-je à Michel, constatant que le voyant avec la ceinture attachée venait de s'éteindre au-dessus de nos têtes, signifiant ainsi que nous avions atteint notre vitesse de croisière.

— Tu es vraiment une intellectuelle, conclut-il, en prenant sa veste en velours côtelé qu'il posa sur son visage avant de reposer sa tête sur le hublot pour dormir.

Il ne voulut plus me parler pendant tout le vol, m'offrant ainsi un peu de répit. Je fus réveillée deux heures plus tard par une bande d'imbéciles qui se mit à applaudir l'atterrissage.

À la sortie de l'aéroport, nous suivîmes les touristes qui marchaient tels des crabes vers la mer, dans un concert de valises à roulettes. La nuit était tombée, il y avait dans l'air une humidité froide, il fallait marcher des kilomètres pour arriver au port des bateaux-bus. Pour ma première fois à Venise, j'arrivais de nuit, si bien que je ne voyais rien du paysage qu'une mer noire qui ressemblait à toutes les mers de nuit. Mais tout cela n'avait aucune importance, mon cœur battait fort à l'idée qu'avant de m'endormir, je saurais le nom de famille de Georgia, peut-être aurais-je même son numéro de téléphone, dans quelques heures, et j'entendrais de nouveau sa voix dont j'avais presque oublié le son. Cela suffisait à me remplir de joie.

Le bateau-bus tanguait, nous étions tous serrés les uns contre les autres, et nous nous amusions avec Michel à reconnaître les nationalités des touristes à leur façon de s'habiller. Le bateau nous arrêtait à différentes stations, sur des petites îles, sans que l'on comprenne vraiment où nous étions. Les gens se laissaient ballotter, ils avaient l'air d'attendre quelque chose sans se presser : on arriverait bien quelque part... et puis le bateau reprenait son chemin dans une obscurité aquatique un peu inquiétante.

Nous arrivâmes à la station Piazzale Roma. Dès que je mis un pied à terre, je fus frappée par l'odeur de fruits de mer qui régnait sur toute la ville, un peu comme si nous avions atterri dans le local à poubelles d'une poissonnerie un jour de grande chaleur. Je me demandai comment cette ville pouvait être celle du romantisme ? Et surtout, comment allais-je supporter de vivre une journée entière dans cette puanteur ? Je regardai Michel, surprise de constater que j'étais la seule personne effarée par la situation, car les autres touristes ne se plaignaient pas, ne grimaçaient pas, ne demandaient pas à faire demi-tour. Michel non plus ne semblait pas ressentir l'attaque de ces relents dignes d'un vivier en décomposition.

— Tu exagères, ça sent à peine, dit-il en prenant ma valise.

On nous avait déchargés quelque part au nord de Venise et, par chance, ce fut non loin de la rue du restaurant Il Francese. Michel nous guidait, refusant de prendre mon téléphone en guise de plan, non, il tenait à chercher notre chemin sur une carte en papier. Je regardais avec inquiétude les ruelles dans lesquelles nous nous perdions. Elles étaient imbriquées les unes aux autres, resserrées, engoncées entre les canaux, reliées par des ponts minuscules qui se chevauchaient. On avait l'impression qu'une main de géant avait pris la ville entre ses doigts pour la compresser. Enfin, après mille détours, Michel trouva la ruelle du restaurant.

Je me sentis écrasée par le battement de mon cœur, mon souffle s'accéléra, mon esprit se mit à imaginer que Georgia serait assise dans la salle, qu'elle m'attendait, souriante, je la sentais à mes côtés dans la ville, elle était là quelque part et j'allais la retrouver. Je le savais. Mais plus nous avancions dans la ruelle, plus elle était noire. Nous nous arrêtâmes devant la porte du restaurant. Elle était close. Sur un morceau de carton déchiré on pouvait lire : « FERMÉ POUR TRAVAUX ». J'eus soudainement envie de vomir. Pas seulement à cause de la déception, pas seulement à cause du gâchis d'argent, mais aussi parce qu'il s'était mis à tomber sur nos têtes une pluie sale, propageant avec elle des remugles fétides. Je me sentais aussi décrépie que les pierres spongieuses qui nous entouraient.

— C'est fermé pour travaux, dit Michel, désolé.

Je me mis à le détester. À cette seconde précise, je lui en voulais de toutes mes forces, avec cette impression que tout était sa faute. Sa présence, qui m'avait jusque-là rassurée et amusée, m'était à présent insupportable, aussi insupportable que le jour où j'avais pris la décision de le quitter, tout remontait à la surface, ma rancœur contre ce pauvre Michel qui n'y pouvait rien, lui qui avait fait tant de choses pour m'aider, qui cherchait simplement à me faire plaisir. Je décidai de le planter là sans une excuse, j'avais besoin de boire et d'être seule.

— Et tu vas aller où ? me demanda-t-il gentiment.

— Arrête de me parler, dis-je en m'éloignant, la gorge tellement nouée qu'elle me faisait un mal de chien, de pauvre chien mouillé, il me fallait boire un alcool fort pour que la douleur cesse. Mon unique repère dans la ville, c'était le Harry's Bar. Je n'y étais jamais allée mais je savais qu'il existait quelque part, alors je partis déambuler dans la ville, à la recherche d'Ernest Hemingway et d'Orson Welles, demandant mon chemin à des touristes qui n'en savaient rien, mal reçue par des serveurs de restaurants qui m'indiquaient de mauvaises directions. Mais je tenais bon, car en dépit de la pluie qui dégoulinait comme si le ciel n'était qu'une immense serpillière, je savais qu'au bout du chemin se trouvait un barman pour m'écouter, me servir à boire et me venir en aide. Le long des canaux j'eus l'impression d'une capillarité monstrueuse, comme si une immense chevelure flottait sur une écume de mer au milieu des algues et des déchets. Le clapotis des eaux dans le silence de la nuit m'effrayait. Je voulais rentrer à Paris. Je voulais que cesse cette odeur gênante, cette odeur de sexe à l'hygiène douteuse, mais rehaussée de sel, comme si l'on avait voulu enfumer l'affaire. Je regrettais d'avoir rejeté Michel, mais mon orgueil m'empêchait de prendre le chemin de son hôtel.

Au bout d'une demi-heure, j'arrivai devant la petite porte en bois aux verres teintés du Harry's Bar qui me fit penser à une échoppe autrichienne. J'entrai dans une étroite pièce rectangulaire, pas plus palpitante qu'une boîte à chaussures, aux murs gris et ternes. Là, quelques couples croupis, ne s'adressant plus la parole, buvaient mollement des cocktails, en mangeant sans conviction des avocats aux crevettes. Je me dirigeai vers le fond de la salle pour monter au premier étage car j'espérais y trouver un salon sombre aux canapés en cuir. Je grimpai l'escalier en bois, mais je tombai nez à nez avec les toilettes. Il me fallut redescendre et me rendre à l'évidence : c'était donc ça, le Harry's Bar. Rien de cette pièce minuscule ne correspondait à ce que j'avais imaginé du café où l'on avait inventé, puis baptisé avec des noms de peintres, un plat de viande crue et un cocktail à la pêche. Je n'en revenais pas, cette salle sans fenêtre, où seul le costume des serveurs avait du lustre, ne ressemblait à rien. Néanmoins, je décidai de m'asseoir au comptoir – le plus loin possible des touristes habillés pour regarder des programmes télévisés dans leur canapé – afin de reprendre mes esprits et un whisky.

Le prix des consommations sur la carte finit de me décourager. J'étais sur le point de partir quand la petite porte en bois s'ouvrit : je vis entrer l'homme de l'aéroport, qui m'avait intrigué. À la façon dont les serveurs lui dirent bonjour, je compris qu'il avait ici ses habitudes, en particulier au comptoir, où il vint s'asseoir à côté de moi. Il s'était changé, le costume grenat avait laissé place à un gilet moutarde, peut-être le plus beau gilet du monde, si tant est qu'un gilet puisse concourir dans une catégorie esthétique. Il releva ses manches de chemise, laissant apparaître des poignets fins comme les chevilles d'un pur-sang. Il dînait seul, avec l'aisance des gens pour qui cette situation n'est pas humiliante, mais qui au contraire s'offrent là un luxe, le bonheur d'un repas sans interlocuteur.

Prise par l'audace des pessimistes, je m'adressai à lui dans un anglais grossier, pour lui demander s'il connaissait bien la ville.

— Oui et non, cela dépend de ce que vous entendez par « bien connaître la ville », me dit-il en articulant chaque mot, détachant bien le « oui » et le « non ».

Il avait répondu en français, sans même me regarder, sûr de son fait. J'appris qu'il s'appelait Gérard Rambert. Il était marchand de tableaux et rendait visite à une amie peintre, dont l'atelier se trouvait sur l'île du Lido. Je lui expliquai alors que j'étais photographe mais il eut l'air de s'en foutre royalement. J'ajoutai, pour me donner de l'importance et attiser sa curiosité, que j'exposerais cet été à Arles – évidemment, je ne mentionnai pas qu'il s'agissait d'une exposition hypothétique –, un projet qui s'intitulait : *Une femme parfaite.*

— Eh bien je vous souhaite bien du courage, me dit-il en accompagnant son rire d'une tape fraternelle sur l'épaule, qui signifiait qu'il doutait grandement des résultats de mon entreprise.

Gérard Rambert m'avait ainsi signifié que la conversation de courtoisie était terminée et qu'il souhaitait à présent terminer son dîner tranquille. Puis il plongea son formidable nez dans ses scampi Thermidor que le serveur venait de déposer. Cette réaction ne me vexa pas seulement, elle me découragea : j'y vis le signe que je ne réussirais jamais à retrouver Georgia. De même que Marie Wagner avait pensé que j'étais envoyée par Dieu pour qu'elle puisse confier ses péchés, il me semblait que le destin avait dépêché Gérard Rambert sur ma route pour que je cesse cette quête impossible. Pourtant je repartais, avec beaucoup de maladresse, à la charge.

— Vous pensez vraiment que la femme parfaite n'existe pas ?

— Très honnêtement, je m'en fiche comme de mon premier bouton de chemise, répondit-il en faisant signe au serveur qu'il souhaitait un panier de pain pour accompagner son repas.

Je ne pouvais pas me laisser faire ainsi :

— Vous n'avez jamais rencontré, dans votre vie, une femme « presque » parfaite ?

Sans quitter des yeux son assiette, Gérard Rambert tamponna les commissures de ses lèvres, en silence. Il semblait s'en référer à des puissances supérieures, qui lui demandaient de consentir à accorder quelques minutes de son temps à cette inconnue qui s'était accrochée à ses basques. Dans un soupir de résignation, posant sa serviette sur ses genoux, Gérard redressa son buste, déplia ses immenses jambes et m'annonça qu'il avait connu une femme qui s'appelait Maud.

— Je ne vais pas parler longtemps, me dit-il, parce que j'aime dîner en silence.

Puis il ajouta en me regardant droit dans les yeux :

— Maud est la seule femme qui ne m'a jamais demandé de faire une chose que je n'aurais pas pu faire. Compris ? Et cela, c'est une certaine idée de la perfection dans les rapports entre les hommes et les femmes, si on prend la peine d'y réfléchir. C'est tout ce que j'ai à dire. Je ne sais pas s'il existe une femme parfaite – et si elle existe, je ne suis pas sûr d'avoir envie de la rencontrer… Mais je sais ce qu'un amour parfait veut dire.

Maud était plus âgée que Gérard. Elle n'avait pas de jolies jambes à cause d'un problème de rétention d'eau, elle portait des cheveux gris en chignon, des jupes au-dessous du genou – jamais de pantalon –, Maud n'était pas « spectaculaire » mais elle savait comment elle était faite et ce qui lui allait. D'ailleurs, ajouta Gérard Rambert, cette femme fut aimée et célébrée toute sa vie, c'est bien simple, les hommes l'adoraient.

— Elle me faisait penser à un setter irlandais et j'aimais ça, me dit-il.

Maud et Gérard passèrent une première nuit ensemble, puis toutes les suivantes pendant dix ans. Ils ne se lâchaient plus, disaient les amis. Un jour, quelqu'un leur demanda :

— Mais puisque vous vous entendez teeeelllll-lement bien, pourquoi ne vous mariez-vous pas ?

Alors Maud répondit dans un rire formidable :

— Gérard n'est pas un mari ! C'est un entracte – un long entracte – mais pas un mari.

En vérité, elle ne s'appelait pas Maud. Gérard ne connaissait ni son prénom ni son nom de famille, emprunté à un architecte de l'est de la France qui avait eu une passion pour elle.

— Écoute, avait-elle expliqué à l'architecte, je ne vais pas me marier avec toi, mais si tu veux, je porterai ton nom toute ma vie.

Ce qu'elle fit. Gérard n'a jamais su quel était son véritable nom de jeune fille, il apprit seulement que son père était corse. À l'âge de treize ans, Maud avait prévenu ses parents : « Je n'aurai pas d'enfant et je ne me marierai pas. » Elle garda la raison secrète. Et puis, trente ans plus tard, Maud leur expliqua que Gérard était exactement ce qu'elle avait toujours cherché chez un homme. Ce dernier ne s'est jamais demandé comment lui faire plaisir, parce que, venant de lui, tout faisait plaisir à Maud. Tout.

Mais un jour, après dix années passées l'un contre l'autre, Maud demanda à Gérard qu'il prenne un peu ses distances. Et puis, soudain :

— À partir d'aujourd'hui, je ne veux plus qu'on se voie, je voudrais uniquement qu'on se téléphone.

Maud n'était pas une femme dont on discutait les décisions – avec elle, on ne demandait pas « Pourquoi ? ». Simplement, Gérard trouvait étrange qu'elle mette beaucoup de temps à répondre quand il l'appelait… il connaissait l'appartement, il savait qu'il n'était pas très grand… Un jour, Maud ne répondit plus du tout. Gérard pensa qu'elle avait rencontré un autre homme.

— Et j'étais content pour eux, tu comprends ?

Mais quelques jours plus tard, Abel, le père de Gérard, lui téléphona vers onze heures le soir – chose qu'il n'avait jamais faite de sa vie. Il lui dit :

— Mon fils, je voudrais que tu passes à la maison, maintenant.

Gérard arriva chez ses parents peu avant minuit. Abel était assis sur le canapé avec ses éternelles lunettes en écaille et ses bretelles. Il lui tendit une enveloppe, dans un geste de désolation. C'était une lettre de la mère de Maud, qui annonçait au père de Gérard que sa fille était morte d'un cancer des os, mais qu'elle n'avait rien dit pour ne pas faire de la peine. Si cela n'est pas une preuve d'amour, alors je ne sais pas ce qu'est une preuve d'amour, conclut Gérard en faisant signe au serveur qu'il voulait l'addition.

J'avais envie de pleurer mais Gérard me fit comprendre que ce n'était pas une réaction envisageable en sa présence. Alors je lui avouai la véritable raison de ma venue à Venise : Georgia, le restaurant fermé, son nom de famille qui me manquait pour la retrouver… Je vis dans le regard de Gérard exactement le même désarroi que j'avais ressenti lorsque Marie Wagner m'attendait tremblotante en bas de chez moi. Il n'avait aucune, mais alors aucune envie de s'occuper de moi, mais quelque chose l'obligeait, un sentiment moral qui amollit le cœur, même le plus dur, face aux amoureux transis qui réclament un peu de mansuétude. Gérard Rambert n'avait pas d'autre choix que de me venir en aide. Il m'expliqua que le lendemain soir, un couple d'architectes parisiens donnait une grande fête sur l'île du Lido. Tout ce que Venise compte de Français serait là-bas, et parmi eux, il y aurait peut-être la fameuse Véronique, du moins, des gens qui connaîtraient son restaurant. Puis Gérard Rambert me raccompagna à l'hôtel qu'avait réservé Michel, ce n'était pas sur son chemin mais il ne voulait pas que je me perde, et il me donna rendez-vous le lendemain à sept heures du soir, au Harry's Bar. Pour nous emmener, Michel et moi, au Lido.

Jamais je ne me suis sentie si heureuse de retrouver Michel. Je frappai à la porte de sa chambre, sachant pertinemment que je le réveillerais en plein sommeil.

— Excuse-moi, je pensais pas que tu dormais, lui dis-je, de mauvaise foi.

Je lui racontai mon aventure au Harry's Bar, ma rencontre avec Gérard, la fête des architectes français. Michel écoutait avec beaucoup d'attention, tout heureux à l'idée que nous soyons invités à un événement mondain. Mais aussi admiratif.

— Je ne sais pas comment tu fais, me dit-il, pour toujours te retrouver aux endroits où il faut être. Tu es vraiment très forte.

Je savais que ce n'était pas vrai. Mais j'étais soulagée que quelqu'un le pense, même si c'était Michel. Il y avait chez cet homme une générosité et une gentillesse infinies. Je lui demandai s'il était d'accord pour que je dorme dans son lit, mais sans que l'on fasse l'amour ensemble.

— Ah ! parce que tu crois vraiment que j'ai envie de coucher avec toi ? s'exclama-t-il.

— Bah… oui, lui répondis-je, sûre de moi.

— Oh, tu te trompes, me dit-il pendant que j'enlevais mon pantalon pour me glisser sous les couvertures.

— T'es plus du tout amoureux de moi ? lui demandai-je avec défi tout en collant mes pieds froids contre ses cuisses chaudes et poilues.

— Non. J'aime une autre femme, me dit-il avec gravité.

— Tu veux en parler ? lui demandai-je en sachant très bien qu'il s'agissait de Jenane.

— Non, me répondit-il en éteignant la lumière. Bonne nuit.

Nana

Je proposai à Michel de nous séparer pour nous retrouver à l'heure du rendez-vous avec Gérard Rambert au Harry's Bar. D'ici là, Michel s'était concocté un programme de visites qui ne lui laissait pas même le temps de déjeuner :

— J'avalerai un sandwich sur le bateau, au retour de Murano.

Il me fallait donc tuer la journée jusqu'au soir et je sentais qu'elle ne se laisserait pas facilement abattre. Il fallait bien faire semblant d'y croire, à cette dernière chance. Mais au fond de moi, j'avais abandonné tout espoir de rencontrer Véronique, afin de rendre mon cœur un peu moins lourd au moment de la déception. J'avais dit au revoir à Georgia. Et à l'idée de Georgia. Je commençais à sauver ma peau. En attendant, je décidai de marcher dans la ville, au moins ne serais-je pas venue pour rien.

Je commençai par la place Saint-Marc mais fus très déçue. Mon œil contaminé, perverti par de nombreuses représentations – photographies de salles d'attente, posters d'appartements de location, reproductions de tableaux d'hôtels de troisième zone, cartes de vœux de la banquière –, ne découvrait rien. Supposée être le témoignage d'une splendeur passée, la place Saint-Marc me fit l'effet contraire, elle me parlait d'aujourd'hui, en faisant ressortir l'ignominie du monde contemporain, la laideur des vêtements des touristes et des magasins de souvenirs en plastique, la misère des vendeurs de babioles. Je m'arrêtai, comme tout le monde, prendre un verre au Caffè Florian, entre deux Japonaises, quelques vieux Américains à la retraite et une bonne famille allemande. En dehors du serveur et de moi-même, toutes les personnes présentes dans la pièce, sans exception, étaient penchées sur leurs téléphones portables, si bien que je me sentais entourée d'une galerie silencieuse de fronts. D'ailleurs, je ne tardai pas à me joindre à eux, puisque mon téléphone se mit à vibrer. C'était un numéro masqué. Mon cœur se mit à battre. Et je songeai que c'était toujours la même chose. Il avait suffi que mon espoir s'éloigne de Georgia, que mon désir l'abandonne, pour qu'elle me téléphone enfin. Ma main tremblait un peu en mettant l'appareil à mon oreille.

— Allô ? fis-je, en essayant de prendre une voix décontractée.

— Oui, c'est maman, entendis-je, une nouvelle fois déçue.

Ma mère appelle en numéro masqué pour plusieurs raisons, d'abord par vanité, elle pense que cela la distingue du reste du monde, pour elle, c'est un peu comme voyager dans une voiture aux vitres teintées. Ensuite par orgueil, elle ne peut pas supporter l'idée qu'on puisse ne pas décrocher en voyant son nom. Ainsi se protège-t-elle de toute susceptibilité. Et pour finir par ignorance : elle ne se rend pas compte du mal qu'elle peut vous faire, en vous donnant de faux espoirs sur un coup de téléphone que vous attendez désespérément. Elle voulait me parler de son frère qui vit en Bretagne dans une yourte du village gaulois de Pleumeur-Bodou (un parc touristique d'un autre genre que Venise) depuis qu'il a quitté la marine marchande. Elle voulait savoir si je m'étais occupée de ses remboursements de frais médicaux, car mon oncle souffre d'une sorte de maladie mentale qui l'empêche de traiter ses papiers administratifs, impôts, factures, déclarations diverses, toutes ces choses lui donnent des crises d'urticaire, au sens propre. Je l'appelai sur-le-champ.

— Tonton, il faut que tu me donnes ton numéro de Sécurité sociale, lui dis-je pour commencer.

— C'est hors de question ma petite, répondit-il en raccrochant le combiné.

Quelques heures auparavant, j'aurais souri face à la réaction de mon oncle, car l'espoir de retrouver Georgia adoucissait, comme un philtre galvanisant, tous les maux de la vie. Mais le charme s'était rompu devant la porte fermée du restaurant Il Francese et désormais, le roi était nu sous les arcades gothiques du palais Ducal.

Je décidai de longer le Grand Canal pour me changer les idées, mais je fis demi-tour devant le pont des Soupirs car ce trognon de pomme abandonné, grouillant de fourmis, me dégoûta. Même chose devant le Rialto, entièrement recouvert de boutiques de souvenirs, tel un coude rongé par les verrues. Les masques pailletés du carnaval, les maillots de football aux couleurs criardes, les tabliers de cuisine aux imprimés vulgaires, me faisaient presser le pas et baisser les yeux. J'avais honte devant la laideur qu'engendre le tourisme moderne, comme si j'en étais en partie responsable. Et je me demandais pourquoi les gens se déguisent en touristes quand ils voyagent. Ne pourrait-on pas exiger d'eux qu'ils s'habillent normalement – ce serait moins déprimant –, même les poissons dans la lagune semblaient faire partie d'un voyage de groupe. Les gondoliers travestis en gondoliers me faisaient de la peine, travailleurs obligés d'être affublés d'un costume ridicule. L'humiliation de porter un uniforme si grotesque n'était atténuée que par le mépris de ces bateliers vis-à-vis de leurs clients.

Venise est une ancienne reine de concours de beauté qui a très mal vieilli. Elle est devenue au fil des siècles aussi méchante que laide. Les seuls visiteurs qui la fréquentent encore sont les idiots et les mélancoliques. Consciente que sa chambre n'attire plus que des imbéciles, Venise les noie tous dans la laideur de ses draps humides. Saint-Marc, le Rialto, le pont des Soupirs, l'Accademia… Venise, en vieille rombière, porte tous ses bijoux sur ses doigts afin que la lumière de ses gros cailloux cache la décrépitude de sa peau tachetée. Et les gondoles, ces objets fins d'une beauté presque égyptienne, me faisaient désormais penser à des cercueils, dans lesquels on aurait enterré définitivement l'espoir et la beauté.

Je décidai de ne pas me rendre au rendez-vous que m'avait donné Gérard Rambert. Cela ne servait à rien. Il fallait arrêter le cours des choses qui m'avait entraînée dans cette situation absurde : suivre un inconnu dans une fête improbable pour retrouver une femme qui, peut-être, me donnerait un nom de famille, tout cela en compagnie de mon ex-mari. Soudain mon existence m'apparut comme une succession d'éternels matins flous. Je repensai à l'enchaînement des événements qui m'avait conduite à manger un quart de pizza Margherita tiède sur une place de Venise. Comme dans *Der Lauf der Dinge*, une bouteille en plastique remplie d'eau avait entraîné le roulement d'un cylindre en fer, qui avait roulé le long d'une planche en bois jusqu'à tomber sur une poche pleine d'eau, qui s'était vidée telle une baudruche. Et moi, j'étais cette baudruche dégonflée, traînant sur un banc à Venise, en dehors des vacances scolaires. Tout cela n'avait aucun sens, je devais rentrer à la maison, couper le cordon avec

Michel, m'occuper de mon fils, remettre ma vie en ordre, trouver un vrai travail. Je me trouvai grotesque et ridicule. Je cherchais en moi des émotions violentes qui n'existaient pas, je voulais épater Michel par des aventures extraordinaires – lui qu'une assiette en porcelaine suffit à émerveiller. Je me contentais d'imiter la vie d'artiste, sans en avoir le talent. Et j'essayais d'être marginale, comme tout le monde. Julie avait raison.

Je regardai les gens marcher, j'attendis qu'arrive le soir, que le sommeil m'emmène loin de Venise, loin de cette tristesse. Demain matin, un avion me remettrait sur le droit chemin. En regardant passer devant moi un couple de touristes italiens – l'homme était tout petit, le crâne parsemé de cheveux noirs et épais, la femme au contraire était immense, chevelure blonde, mâchoire carrée, menton téméraire –, « Mademoiselle » me revint en tête. C'était absurde de penser à elle, là, sur ce banc. Mais depuis que je l'avais rencontrée, je savais qu'il existait au fond de ma mémoire l'image d'une femme qui lui ressemblait. Pendant quelques jours, mon esprit avait vagabondé, mais il avait fait fausse route en la comparant à la *Nana* d'Émile Zola, car en réalité c'était à la Nana de Christer Strömholm que « Mademoiselle » me faisait penser. J'ai découvert les photographies de Christer Strömholm grâce à Carlos, mon ami cameraman, c'est lui qui m'a montré le travail de ce photographe suédois mort en 2002 à l'âge de quatre-vingt-trois ans.

La première photographie que j'ai vue de lui, ce n'était pas un portrait de Nana, mais de sa copine Jacky. Elle portait une veste en cuir, elle remontait ses cheveux sur sa tête, dévoilant de larges créoles dorées aux lobes de ses oreilles en souriant à l'objectif. Cette femme était si belle que j'avais trouvé là mon idéal : dans la vie, je voulais être Jacky. La deuxième photographie était un portrait de Sonia. Cheveux courts, blonds peroxydés sous les racines noires apparentes, un sosie de Kate Moss. Même œil charbon, mêmes lèvres ourlées – et cette façon arrogante de dégager le cou, comme un ultime strip-tease. Sur la troisième photographie, Belinda scrutait le spectateur – sa paupière brillait de strass miniatures incrustés dans le khôl. Nue dans une fourrure, allongée sur un lit, l'œil de biche était excessif, la virgule étirée au-delà du raisonnable, un faux platine, la bouche peinte d'une couleur claire – on devinait un rose, peut-être un beige. C'était elle, c'était cette photo de Belinda qui me rappelait « Mademoiselle ». La même façon de se coiffer, de se maquiller, de regarder l'objectif. Tous les portraits de Christer Strömholm, portraits sublimes, fragiles, désirables, illustraient une idée de l'éternel féminin.

— Elles sont tellement belles, avais-je pensé en les regardant.

— Ma chérie, ce sont tous des hommes ! m'avait répondu Carlos en souriant.

Je n'en revenais pas. Ces êtres nés biologiquement hommes avaient réussi à renverser la nature pour devenir non seulement des femmes, mais des modèles de féminité, plus femmes que toutes les femmes. Carlos m'expliqua que toutes ces photographies avaient été prises dans le quartier du Moulin-Rouge. À l'époque du général de Gaulle, se travestir est interdit. Lorsqu'elles sont arrêtées par la police, le procès-verbal accuse : « *Homme habillé en femme en dehors des périodes de carnaval.* » C'est dans ces années-là, au tournant des années soixante, que le Suédois Christer Strömholm fixe avec son Leica les travestis et les transsexuels. Et pour cela, il décide de partager leur vie, dans les rares hôtels de passe qui acceptent ces créatures étranges. Il partage aussi les nuits de peur, quand la police rôde. Ensemble, Christer, Nana, Belinda et Jacky prennent le jour pour la nuit, se lèvent quand les travailleurs de Paris rentrent chez eux en métropolitain, mettent leurs lunettes de soleil pour petit déjeuner à cinq heures de l'après-midi. Christer Strömholm ne les quitte pas, il passe des heures à regarder le spectacle des séances d'habillage et d'épilation, la préparation des corps, l'élaboration des coiffures, le masque du maquillage. Nous sommes très loin du joli Paris des photographies de Doisneau car Christer Strömholm considère comme digne d'être célébrée une marginalité que la société ne veut pas regarder. Il y avait aussi Janoue, qui avait subi des électrochocs quand elle était enfant car ses parents s'inquiétaient de ses gestes efféminés.

Cobra, qui s'était appelée Lotus, mais changea de nom quand le papier hygiénique apparut dans les supermarchés : « *Puisqu'on dit que j'ai une langue de vipère, je m'appellerai Cobra !* » Marie-Josée, qui avait été déportée pendant la Seconde Guerre mondiale et décida de devenir une femme à son retour des camps. Puis il y avait la sublime Jacky, qui aimait les gitans et le cinéma des années trente. Et sa meilleure copine, la belle Nana qui venait d'Oran.

Bracelets fins évoquant la fragilité d'un poignet, grosses boucles d'oreilles redessinant les proportions d'une mâchoire, pull porté à même la peau pour en souligner le grain : c'est en regardant ces photographies d'hommes prostitués que j'ai appris à me maquiller. Il n'y avait pas plus femme que ces hommes-là qui me montraient un geste, une façon de porter la main à l'épaule, comment maquiller un œil et s'allonger sur un lit. Pourquoi ? Parce qu'ils s'étaient posé la même question que moi : « *Comment devenir femme ?* » Question cruciale et vertigineuse.

C'est alors que Nana, Belinda, Jacky et Cobra se sont soudainement assises sur le banc à côté de moi, comme ces bonnes marraines des contes d'autrefois, qui viennent à la rescousse des âmes en peine. Nous étions toutes là, sur cette place de Venise, à partager mon quart de pizza froide. Ces fées s'étaient penchées sur moi pour me dire que j'étais ridicule, certes, d'aller à cette fête en pensant vraiment que cela servait à quelque chose. « Mais personne ne te juge car personne ne te regarde vivre. Combien de fois s'empêche-t-on de faire certaines choses, disait Nana, à cause du jugement imaginaire de telle ou telle personne. » « C'est idiot, enchérissait Jacky, le plus important dans le ridicule est d'aller au bout. Pour qu'à son comble, il se transforme en audace. Et tous ces affreux qui nous empêchent de vivre, parce que nous anticipons leurs railleries, ils ne prendront pas notre place dans la tombe – ils ne seront même pas là à notre enterrement. »

— Chérie, me disait Belinda, il est grotesque ton amour.

— Et ton obstination est déraisonnable, ajouta Jacky.

— Mais il faut croire à la beauté, à la vertu du ridicule, m'encourageait Nana.

— Car, conclut Cobra, les gens de bon goût sont d'un ennui mortel et contagieux.

Véronique

Gérard Rambert vint nous chercher à l'heure dite, *La Repubblica* sous le bras, au Harry's Bar, dans un costume seersucker coquille d'œuf qui tirait sur le beurre frais. Sous sa veste, on devinait une chemise en lin très fine, couleur nuit, légèrement froissée. Il portait des surchaussures en caoutchouc, orange fluorescent, qui servaient à protéger ses mocassins de l'*acqua alta*. Ses attitudes étaient celles d'un homme qui ne se soucie pas de ce que le monde extérieur peut penser de lui – avec ce dédain de plaire qui rend les êtres irrésistibles. Je lui présentai Michel. Ils se serrèrent la main chaleureusement. Puis Gérard nous confirma que le restaurant Il Francese était très connu à Venise, et par conséquent, il y avait de fortes chances que Véronique soit présente à la fête où nous nous rendions.

Un bateau-taxi nous attendait devant le Harry's Bar, un motoscafo en bois verni, dont la cabine, meublée de banquettes en cuir blanc, sentait un parfum de femme, un parfum de monoï et crème vanillée. Pendant le trajet, Gérard Rambert nous expliqua qu'il se rendait à cette fête par obligation, mais qu'il n'y passerait pas la nuit, parce que les gens qui s'y trouvaient ne le passionnaient pas.

— Mais enfin, le travail c'est le travail, conclut-il en soupirant, tandis que nous commencions à voir au loin les lumières d'une guirlande lumineuse éclairant le jardin d'une villa sur la plage du Lido.

La façade vieux rose de la villa s'enflammait sous les derniers rayons du soleil, devenant comme phosphorescente. Les convives sortaient et venaient au gré de leurs bavardages, pour accueillir les nouveaux arrivants en leur servant des «Ah» et des «Oh» – partout résonnaient les rumeurs de la fête, les rires et les conversations tombaient en grappes depuis la terrasse, le long des vignes folles, il suffisait de lever la main pour attraper quelques bribes d'une conversation mondaine et enjouée. Une femme dans une robe turquoise, cheveux décolorés, racontait qu'elle était partie skier avec un type très occupé. Sa voisine lui répondit qu'on ne pouvait pas se dire aimé tant qu'on n'avait pas mis au jour le potentiel érotique de l'autre. Plus loin, un petit homme habillé en amiral avouait sérieusement à une grande femme avec une marinière :

— J'étais très précoce, j'ai eu ma première carie à trois ans et demi.

Les invités se savaient triés sur le volet, comblés du cours de leurs vies, tranquilles face à l'avenir, tout comme face à la nuit qui tombait sur leurs épaules. Ils savaient qu'ils s'apprêtaient à passer un moment délicieux dont ils garderaient le souvenir pendant les quelques jours à venir. Michel était la seule personne à se sentir mal à l'aise dans cette assemblée, gêné que nous ne soyons pas officiellement invités, il se tenait à l'écart et ne s'amusait pas, comme pour s'excuser d'être là. Gérard avait disparu, je plongeai seule dans cet essaim coloré, où les femmes étaient plus nombreuses que les hommes. Le temps avait rendu justice, car celles qui avaient été belles avaient beaucoup travaillé à se rendre laides, s'échinant à gonfler leurs lèvres comme des veines enflées d'hémorroïdes. Et celles qui avaient été laides avaient beaucoup travaillé à se rendre belles, entretenant des silhouettes sportives, une coquetterie gracieuse, quelque chose de vivant dans l'œil qui donnait envie d'embrasser leurs épaules embaumées sous les tonnelles du jardin. Elles étaient toutes habillées de la même façon. Celles qui étaient en robe portaient des étoles en cachemire sur les épaules. Et celles qui étaient en pantalon portaient des colliers ethniques sur des chemises blanches. Les chemises étaient déboutonnées et les robes décolletées. On apercevait des gorges dont les sous-vêtements luxueux venaient compenser les ravages du soleil. Toute la différence entre les unes et les autres tenait dans le choix du collier. Certaines montraient ainsi leur goût pour la bijouterie berbère, d'autres leur penchant pour le folklore d'Afrique noire, et les plus snobs affichaient des colliers de corail rouge. Parmi ces groupes de nouveaux doges, se trouvait la fameuse Véronique, c'était évident, il me suffirait de louvoyer habilement pour tomber sur elle, j'en étais sûre. En pénétrant dans la villa, j'aperçus Michel, toujours seul, penché sur de la vaisselle en verre exposée dans une vitrine. Il scrutait avec une émotion palpable des verres, des bouteilles et des assiettes d'une laideur à pousser des cris. Je laissai Michel à son extase, préférant trouver quelque chose à boire.

Je m'approchai d'un serveur qui proposait des coupes de Bellini. À côté de nous, un groupe discutait en rond, tels des fromages disposés sur un plateau. Il y avait une petite rousse, extrêmement bien proportionnée, dont la robe en soie orange moulait les fesses bien rondes. Une grande blonde qui portait une chevalière au petit doigt et une veste d'équitation en velours vert. Un faux Yves Saint Laurent, exagérément vieux, les cheveux trop teints, peignés en arrière, qui portait à la boutonnière une fleur éclatante de blancheur. Un jeune homme de bonne famille, qui avait toujours été jeune et qui le resterait toute sa vie, portait un pull de tennis en laine, bordé d'un liséré aux couleurs de la France, d'où émergeait son visage de poupon. On aurait dit la mimolette, le roquefort, le gruyère et le fromage de chèvre :

— Elle veut tout le temps montrer ses implants mammaires, soupira la grande blonde.

— C'est parce qu'elle a un physique assez ordinaire, expliqua la petite rousse.

— Quand elle était petite, on la confondait souvent…, ajouta le vieux monsieur sur le ton de la confidence.

Et le jeune homme de bonne famille fit une grimace en signe de réprobation.

J'osai interrompre leur conversation pour demander s'ils connaissaient une Véronique qui tenait un restaurant de gastronomie française dans le nord de Venise. Leurs visages s'éclairèrent. Évidemment, ils la connaissaient même personnellement. La rousse savait que Véronique devait venir ce soir, le jeune homme ne l'avait pas encore aperçue, le vieil homme quittait son mari à l'instant. Je pris une grande respiration qui me donna du courage, je bus cul sec un verre de Spritz qu'un adolescent en livrée m'avait glissé entre les doigts et continuai ma déambulation, comme dans ce jeu d'enfant, je sentais que je brûlais en m'approchant du buffet et que je refroidissais en traversant le jardin. Véronique n'était plus très loin. Michel m'apparut dans la foule, en pleine discussion avec le couple des maîtres de maison, dont la femme était en chaise roulante. Il s'excusait auprès d'eux de s'être invité. Mais les hôtes le rassurèrent, il était digne de faire partie de cette fête et de leurs amis. Tandis que Gérard Rambert réapparut, l'air préoccupé, m'expliquant qu'il n'avait pas trouvé la personne qu'il devait rencontrer, il rentrait chez lui parce que tous ces gens le faisaient « flipper ». Subitement, il y eut beaucoup de monde dans le jardin, comme si des gens étaient sortis de terre. Au loin, j'aperçus un type en doudoune sans manches, qui portait un jean vert acidulé presque jaune, il ressemblait à un photographe connu mais je n'en étais pas sûre. Je m'approchai pour me faire une idée. Ce type à doudoune parlait avec un autre visiblement ivre, qui portait des lunettes de soleil bien que la nuit soit tombée, ainsi qu'un bandeau autour du front, à la japonaise. Ils évoquaient l'un de leurs amis :

— C'était l'époque où il était chauve.

— Je ne sais pas pourquoi il côtoyait des mochetés pareilles, répondit l'autre, bourré.

Et les deux se mirent à rigoler en repensant à quelque chose qu'ils avaient dû vivre ensemble. Puis ils me prirent pour quelqu'un d'autre, car ils se retournèrent vers moi et me dirent :

— Tiens, bonjour, ça va ? en me faisant la bise.

Le type en doudoune en profita pour partir, tandis que le type au bandeau se lança dans un long monologue sur sa petite amie qui l'avait plaqué. Cette femme avait eu peur de s'abandonner à lui, disait-il, elle se cachait le visage quand elle jouissait, c'était un signe, et puis elle ne voulait jamais boire, parce que, avec l'ivresse, elle avait peur de se perdre. Il m'expliqua ensuite qu'elle s'appelait Natacha mais qu'il la surnommait Natachatte, pour l'agacer, elle avait les dents écartées, les dents du bonheur, et pourtant un goût prononcé pour le malheur, elle mangeait des sandwichs au concombre et aux champignons, elle avait le sein gauche plus gros que le droit et ce qu'elle aimait par-dessus tout, c'était avaler des médicaments, elle gobait des gélules de toutes sortes, des gélules pour les cheveux et les ongles, des gélules contre la rétention d'eau, ainsi que de l'aspirine, tous les matins, pour prévenir du cancer, et puis elle avait pris des habitudes fastueuses, un jour au Gritti, un jour au Danieli, un jour au Bauer. Sauf qu'un jour, il l'avait vue pleurer – et il avait adoré ça, tellement, que cela lui avait fait peur. Pendant qu'il parlait, il commandait au serveur des gin tonic sans tonic, que je buvais aussi, donc nous commencions à être très ivres tous les deux. Il s'arrêta de parler alors j'en profitai pour lui dire que je cherchais une cuisinière qui s'appelait Véronique. Mais il tourna les talons pour partir soliloquer devant quelqu'un d'autre et me dit :

— J'ai très peur que chez toi, la frontière entre la connaissance de soi et le pur narcissisme ne soit extrêmement ténue.

Je fus brutalement ivre. Le ciel au-dessus de moi se mit à valdinguer dans tous les sens. Je voulais retrouver Michel, au milieu de cette foule, mais je n'avais plus le courage de marcher. Je ressentis comme un immense vacarme, comme si les gens s'étaient mis à crier. J'avais sauté dans un grand bain aux couleurs criardes, je ne savais pas d'où venaient ces sons éclatants. Est-ce qu'un orchestre était invité à jouer ? Mon cœur se mit à battre la chamade, à se gonfler de joie et de sang, mon cœur gros et naïf que je portais dans ma poitrine comme un bijou trop ostentatoire, mon cœur lourd, prêt à tomber, sentait qu'au loin une femme me regardait, une femme avec un corps de salamandre et une nuque qui n'en finissait jamais, un corps mordoré comme un tableau de Klimt, une silhouette androgyne portant un pantalon de soie Ossie Clark et un gilet pailleté. Tout se confondait dans ma tête à cause de cette apparition inattendue, il y avait eu comme un accident, je ne savais plus si c'était agréable ou désagréable, mais je savais que j'étais vivante, car une femme me souriait, cette femme qui était toutes les femmes, cette femme qui me tendait sa main pour que je vienne fendre la foule et l'embrasser, Georgia était là et me regardait.

Georgia

Les Rencontres de la photographie se déroulent tous les étés, entre le mois de juillet et le mois de septembre, dans la ville d'Arles. Cette année j'y expose mon travail car j'ai gagné le premier prix du concours des jeunes talents, ainsi qu'une bourse et une chambre pour me loger un mois entier à l'hôtel Voltaire derrière les arènes. Mes photographies sont accrochées à l'espace Van Gogh, en centre-ville, dans ce musée qui rend cette année un grand hommage à la photographe Julia Margaret Cameron, une rétrospective intitulée *Portraits de femmes.*

Julia Margaret Cameron est née en Inde en 1815, la fille d'une aristocrate française au nom romantique, Adeline de l'Étang, et d'un officier de la Compagnie des Indes orientales. Elle grandit en France, rencontre son futur mari au Cap et l'épouse à Calcutta. Charles est un homme de vingt ans son aîné, dont la famille possède des plantations de café à Ceylan. Le couple s'installe à Londres, où ils vivent d'expédients, puis

Charles décide de prendre sa retraite sur l'île de Wight, car la vie y est moins chère. Julia Margaret Cameron s'y ennuie un peu, alors pour l'anniversaire de ses quarante-huit ans, sa fille aînée lui offre un appareil photo, une chambre avec une boîte coulissante standard, lentille Jamin française, avec une ouverture fixe de f3.6 et une longueur focale d'environ 12 pouces. Un objet rarissime pour l'époque, la photographie vient tout juste de naître.

Mais ce n'est pas tout d'avoir un appareil, il faut aussi pouvoir développer les images et faire des tirages. Or, installer un laboratoire de chimie sur une île au XIXe siècle n'est pas si simple. Julia Margaret réquisitionne la cave à charbon et apprend toute seule la technique du collodion, un gel que l'on applique sur une plaque de verre, composé d'un mélange d'alcool, d'éther et de nitrate de cellulose – un produit chimique, qui, à sec, est un explosif fulminant pouvant dégager de grandes quantités de gaz chaud lors de sa combustion.

Il faut imaginer l'apprentie photographe, manches pagode retroussées, corset desserré, égoutter elle-même ses plaques dans un noir absolu, manipulant des produits méphitiques qui empoisonnent ses poumons, tâtonnant du bout des doigts, à l'aveugle, pour enfermer les plaques dans des châssis imperméables à la lumière. Une fois que la plaque est prête, Julia Margaret court jusqu'à l'ancienne poussinière, une serre envahie par les herbes, où elle fait poser ses proches. Mary, sa bonne, est son principal modèle, elle se déguise en Vierge Marie, en reine des bois, en princesse biblique… Sa nièce, Julia Prinsep, considérée à l'époque comme une des plus belles femmes de la société anglaise, posera aussi beaucoup pour Julia Margaret – ainsi que sa fille, l'écrivain Virginia Woolf. De toute façon, toute la famille y passe, les enfants, les sœurs, les domestiques, les amis de passage, le poète Henry Taylor déguisé en Rembrandt, ou encore Charles Darwin au portrait simiesque et même Alice Liddell, jeune fille déguisée en Pomone – Alice qui fut, quelques années auparavant, la muse de Lewis Carroll.

Les portraits sont parfois flous, car les temps d'exposition prennent trois à sept minutes, durant lesquelles, évidemment, les modèles bougent légèrement, surtout les enfants. Dès que la photographie est prise, Julia enveloppe la plaque et reprend sa course effrénée pour que le gel reste humide, sans quoi la photographie est foutue, elle ne pourra pas être développée. Il faut imaginer ces courses dans le jardin, entre la serre et la cave, en robe longue et chaussures à talons, comme dans un roman de Jane Austen, serrant sa plaque de verre contre sa poitrine. Avec le temps, les robes de Julia Margaret seront toutes tachées, presque trouées par les produits chimiques, avec cette odeur âcre de nitrate qui la suit partout. Tout de suite, il faut commencer la préparation du négatif, le laver, le baigner dans le cyanure pour fixer l'image et éliminer les sels d'argent non exposés. « *The cyanide of potassium is the most nervous part of the whole process to me. It is such a deadly poison* », dit Julia Margaret Cameron.

Dès les premières parutions dans les journaux, le travail de Julia Margaret Cameron est tourné en dérision, sa technique étant jugée trop négligée. Les spécialistes de l'époque se demandent comment cette femme ose présenter des photographies avec des taches, des négatifs fissurés, parfois même avec des traces de doigts. On dit que sa photographie est « sale ». Mais elle est vivante. Quelques marchands d'épreuves, qui ont repéré son talent, proposent de la vendre, mais ils refusent catégoriquement de la présenter comme « photographe professionnelle ». Ce n'est pas grave, Julia Margaret Cameron, la femme qui inventa le portrait moderne en photographie, accepte d'être cataloguée amateur, Elle s'en fiche car elle sait ce qu'elle vaut, et puis cela ne l'empêche pas d'écrire au dos de ses photographies : « Mon chef-d'œuvre. » Les vendeurs sont perplexes, car cela choque tout le monde qu'une femme constate son talent – les femmes doivent être modestes, elles doivent avancer timidement, réprimer tout mouvement d'orgueil, elles doivent être le porte-parole de leur propre faiblesse – pas de leur force. Il leur faut patiemment attendre que l'histoire daigne les reconnaître. Mais combien de peintres dont les peintures ne pourront jamais nous renverser ? Parce que leurs pères ont brûlé leurs tableaux. Combien de romans qui auraient pu changer nos vies ? Restés dans des tiroirs fermés à clé par des maris jaloux. Combien d'œuvres empêchées, emportées dans la tombe, de romans cachés dans des caves sous des vieux journaux ? Combien de chefs-d'œuvre de femmes, à jamais perdus ? Qui auraient pu bouleverser des vies entières... Et même lorsqu'elles s'exposent, lorsqu'elles émergent, l'histoire de l'art omet souvent de parler d'elles. Qui se souvient de Catharina van Hemessen, peintre flamande, qui fut la première de l'histoire de l'art à faire un autoportrait d'artiste devant son chevalet, à l'âge de vingt ans ? Qui se souvient de Sofonisba Anguissola, qui eut la particularité de mettre de l'humour dans ses portraits, et que Rubens copia sans honte ? Qui se souvient de Lavinia Fontana, qui fut la première femme à peindre des hommes nus ? Qui se souvient de Barbara Longhi, qui fut admirée des plus grands peintres de son époque, pour la brillance unique de ses couleurs ? Qui se souvient d'Artemisia Gentileschi, l'un des précurseurs de la peinture baroque qui fut violée par un peintre établi et humiliée devant un tribunal de vieillards ? Personne ou presque ne se souvient de Clara Peeters, de Judith Leyster, d'Elisabetta Sirani, de Maria Sibylla Merian, de Rachel Ruysch, de Rosalba Carriera, de Giulia Lama, d'Anna Dorothea Therbusch, d'Angelica Kauffmann, d'Adélaïde

Labille-Guiard, d'Élisabeth Vigée Le Brun, de Marguerite Gérard, de Constance Mayer, d'Eva Gonzalès, de Cecilia Beaux et Elizabeth Armstrong Forbes.

Après avoir traversé toutes les salles du musée qui rendent hommage à la photographe Julia Margaret Cameron, juste avant de quitter la fraîcheur du bâtiment pour replonger dans la fournaise de la ville, les visiteurs se retrouvent nez à nez avec une grande pièce consacrée à mon exposition.

Elle s'appelle *Une femme parfaite*, elle est le témoignage des cinq jours que j'ai passés avec Georgia, dans sa chambre d'hôtel au Gritti Palace. Les photographies exposées sont principalement des portraits d'elle, mais il y a aussi quelques portraits de moi et des natures mortes de notre chambre.

Lorsque j'ai retrouvé Georgia dans cette fête, en plein milieu de la nuit au Lido, nous ne nous sommes pas tout de suite embrassées. Comme dans ce conte que sa tante Zelda lui avait raconté, ce fut au petit matin, lorsque le jour s'est levé sur les marches de la basilique Santa Maria della Salute, que nos lèvres se sont touchées – et Venise m'apparut alors comme la plus belle ville du monde.

Pour commencer, Georgia posa les règles : nous nous aimerions comme si c'était pour la vie. Mais à la fin des cinq jours, nous nous quitterions. Georgia voulait poser un cadre à notre amour, un cadre géographique – sa chambre d'hôtel du Gritti – et un cadre temporel – nous ne pourrions nous aimer qu'un temps donné car ensuite elle disparaîtrait de ma vie. Elle ne voulut pas m'expliquer pourquoi, mais je compris qu'elle avait une autre vie, avec des enfants peut-être, avec une femme ou un mari, en tout cas une vie dans laquelle je n'avais pas ma place.

J'acceptai, mais en échange elle devait entrer dans *mon* cadre, en devenant mon modèle photographique pendant les quelques jours que nous passerions ensemble. J'ai photographié Georgia à toutes les heures du jour et de la nuit, je l'ai photographiée dans la salle de bains et dans notre lit, je l'ai photographiée nue et habillée, je l'ai photographiée de dos, de loin et en gros plan, avec des lumières artificielles, avec des couleurs saturées, ou sous les draps, dans la pénombre des rideaux tirés de notre chambre.

Je voulais montrer au monde entier comment mes yeux voient Georgia, j'ai fixé un amour impossible, j'ai cloué sur du papier nos visages défaits comme des lits après l'amour.

Je ne fus plus qu'une surface sensible. Pour moi, il n'y avait plus de passé, plus d'histoire, plus d'amis, plus de famille, plus d'urgences, plus de règles, plus de lois, plus de contingences, plus de profondeur, rien que la surface de ma peau rendue sensitive aux rayons de la lumière de Georgia. J'étais dans l'état amoureux comme sous une insolation.

Notre chambre de palace aux murs bleu Sienne, avec ses rideaux toujours fermés, fut la chambre obscure qui abrita les secrets d'un amour fugace. Le monde entier fut contenu dans nos draps. Je notais sur un carnet le journal intime de ces journées de mollesses, où nos préoccupations furent ténues, fumer, parler, somnoler, manger pour reprendre un peu de forces. En tenant ce journal, je me suis rendu compte qu'écrire et photographier sont deux choses opposées, écrire c'est projeter un rayon de lumière dans une pièce noire, tandis que photographier, c'est plonger dans l'obscurité totale le monde entier, à l'exception de la toute petite partie du monde que l'on veut éclairer sur le papier.

J'ai connu quelques heures d'un grand amour et nous aurions pu faire une vie entière de ces quelques heures. Nous aurions pu nous marier, faire des enfants, les regarder grandir et vieillir ensemble. Mais Georgia ne m'a accordé que quelques jours à Venise. Parce qu'elle savait que c'était le meilleur de ce que nous avions à vivre.

Aujourd'hui, ces photographies sont la preuve que la lumière émanant de son corps agit sur toute chose comme sur le papier photographique, pour rendre visibles la beauté de l'amour, la possibilité d'être attendrie par le monde. Elles me montrent aussi le temps qui chaque jour m'éloigne de ces quelques jours. La distance qui nous sépare, la différence de nos vies, de nos quotidiens, de nos préoccupations. Mais ces photographies me font du bien, car je peux regarder tous les jours, dix fois, cent fois, mille fois, ce qui n'eut lieu qu'une seule fois, une seule seconde. Je dois désormais supporter cet écart déchirant, entre ces trente années de ma vie où je ne connaissais même pas son existence et les trente prochaines que je vivrai sans elle. Heureusement le temps atténuera le manque, sans jamais le faire disparaître tout à fait. Mais entre les deux, il y eut ces quelques jours vivants dont ces photographies sont le témoignage.

Le vernissage fut agréable et joyeux. Il y eut beaucoup de monde. Évidemment, mes parents firent le tour au pas de charge, avant de se précipiter sur le buffet pour me dire :

— T'aurais pu mettre une jolie fille, avec un titre d'exposition pareil…

— C'est vrai, ce serait plus agréable à regarder.

Merci, pour leur aide et leurs conseils, à Ulysse Korolitski, Gérard Rambert, Olivier Nora, Paul-Henry Bizon, Priscille D'Orgeval, Lisbette Praig, Stéphane Manel, Rebecca Zlotowski, Sophie Mas.

Et tout particulièrement, à Martine Saada.

DU MÊME AUTEUR

Aux Éditions Grasset

LES PATRIARCHES, 2012.
RECHERCHE FEMME PARFAITE, 2015 (Folio n° 6229).

Chez d'autres éditeurs

LA FILLE DE SON PÈRE, Éditions du Seuil, 2010.
SAGAN 1954, Éditions Stock, 2014.
HOW TO BE A PARISIAN WHEREVER YOU ARE, ouvrage
   collectif, Random House, 2014.

Composition : IGS-CP à L'Isle-d'Espagnac
Impression Maury Imprimeur
45330 Malesherbes
le 12 décembre 2016.
Dépôt légal : décembre 2016.
Numéro d'imprimeur : 214244.

ISBN 978-2-07-268867-6. / Imprimé en France.